6세

첫걸음
한글 쓰기

1단계
─────
6세

KB059946

한글 쓰기 어떻게 시작할까요?

6세, 한글 쓰기 이렇게 하세요.

받침 없는 글자부터 쓰기 시작해요.

한글을 읽을 수 있는 친구들은 글자를 쓰고 싶어 합니다. 자신의 이름이나 주변 사물의 이름 등 글자 모양에 관심을 가지면 바로 한글 쓰기를 시작하세요.

⬇

글자 쓰는 순서를 익혀 바르게 써요.

한글은 왼쪽에서 오른쪽으로 쓰고, 위에서 아래로 쓰는 등 지켜야 하는 쓰기 순서가 있습니다. 번호 순서대로, 화살표 방향대로 쓰도록 연습시켜 주세요.

⬇

반듯한 자세로 앉아 바르게 글자를 써요.

허리를 곧게 펴고, 엉덩이를 의자 뒤쪽에 붙여 앉게 해 주세요. 그리고 연필은 엄지손가락과 집게손가락의 모양을 둥글게 하여 잡게 해 주세요.

6세, 한글 쓰기를 하면 이런 점이 좋아요!

글자 형성 원리를 스스로 익히게 돼요.

글자를 여러 번 쓰면 자음자와 모음자가 결합해 하나의 글자가 되는 과정을 쉽게 이해할 수 있어요.

예쁘고 바르게 글자 쓰기, 평생 습관이 돼요.

한글 쓰기 연습을 많이 할수록 예쁜 글씨를 쓸 수 있고, 바른 글자로 정확한 뜻을 전달할 수 있어요.

한글 쓰기 효과

소근육 훈련을 통해 뇌까지 발달시켜요.

글씨를 반복해서 쓰면 손의 힘을 기를 수 있고, 소근육을 발달시켜 뇌 성장에 도움이 돼요.

어휘력을 탄탄하게 다질 수 있어요.

한글 쓰기를 통해 다양한 사물의 이름과 쓰임을 익히며 어휘력도 다질 수 있어요.

초능력 첫걸음 한글 쓰기로 시작하세요!

1 한글 원리를 쉽게 깨쳐요!

자음자가 'ㅏ, ㅑ, ㅓ, ㅕ, ㅣ'와 결합하는지, 'ㅗ, ㅛ, ㅜ, ㅠ, ㅡ'와 결합하는지에 따라 글자의 짜임이 달라지고, 글자 쓰는 방법도 달라집니다. 자음자와 모음자를 결합하여 글자를 만들어 쓰는 활동을 하면서 한글 원리를 스스로 깨치게 하였습니다.

2 6세 눈높이에 맞게 한글을 익혀요!

아직 글씨 쓰기에 익숙하지 않은 5~6세 자녀의 수준을 고려하여 가장 간단하고 쉬운 받침 없는 글자를 순서에 맞게 반복하여 쓰며 충분히 쓰기 연습을 하게 하였습니다.

총 2권으로 구성하여 '자모음자 쓰기 ➜ 글자의 짜임에 따라 쓰기 ➜ 주제에 따라 쓰기'로 난이도를 점점 높여 가며 글자 쓰기 기초를 탄탄히 잡게 하였습니다.

3 생생한 이미지를 보며 낱말 학습까지 해요!

시선을 집중시키는 사진과 예쁜 그림을 보며 총 138개의 낱말 이름을 알고 쓰게 하였습니다.

특히, 2단계에서는 자녀들이 생활 속에서 접할 수 있는 낱말을 주제에 따라 실어 낱말 분류 방법과 쓰임을 동시에 터득하게 구성하였습니다.

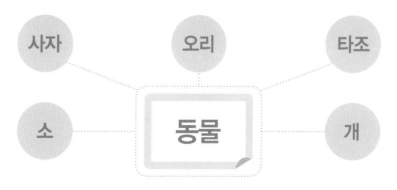

초능력 첫걸음 **한글 쓰기** 이렇게 공부하세요.

6세

1 자음자와 모음자 쓰기 한글 자음자와 모음자 쓰는 순서를 알아보고 쓰기 연습을 합니다.

한글 획순에 따라 쓰는 원칙을 배울 수 있습니다.

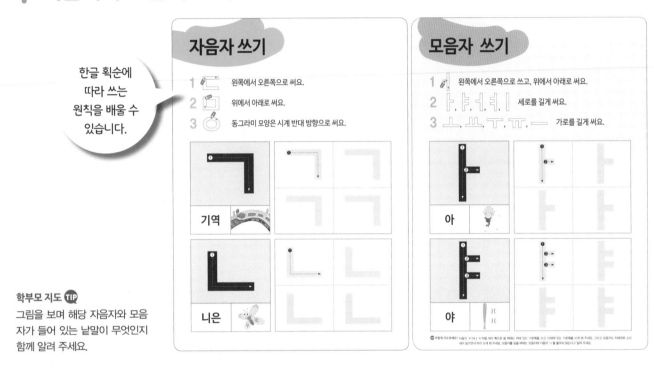

자음자 쓰기

1 왼쪽에서 오른쪽으로 써요.
2 위에서 아래로 써요.
3 동그라미 모양은 시계 반대 방향으로 써요.

기역
니은

모음자 쓰기

1 왼쪽에서 오른쪽으로 쓰고, 위에서 아래로 써요.
2 ㅏㅑㅓㅕㅣ 세로로 길게 써요.
3 ㅗ, ㅛ, ㅜ, ㅠ, ㅡ 가로를 길게 써요.

아
야

학부모 지도 TIP
그림을 보며 해당 자음자와 모음자가 들어 있는 낱말이 무엇인지 함께 알려 주세요.

2 받침 없는 글자 쓰는 방법 알기 글자 짜임에 따라 글자 쓰는 방법을 익힙니다.

'자음자＋모음자＝글자' 자모음자 결합 원리를 한눈에 이해할 수 있습니다.

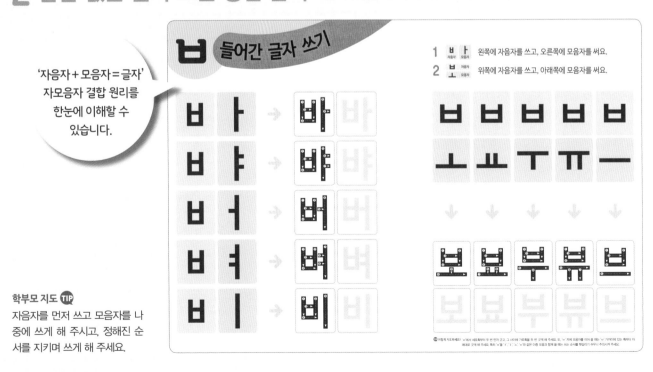

ㅂ 들어간 글자 쓰기

1 왼쪽에 자음자를 쓰고, 오른쪽에 모음자를 써요.
2 위쪽에 자음자를 쓰고, 아래쪽에 모음자를 써요.

ㅂ ㅏ → 바
ㅂ ㅑ → 뱌
ㅂ ㅓ → 버
ㅂ ㅕ → 벼
ㅂ ㅣ → 비

학부모 지도 TIP
자음자를 먼저 쓰고 모음자를 나중에 쓰게 해 주시고, 정해진 순서를 지키며 쓰게 해 주세요.

3 받침 없는 글자로 된 낱말 쓰기 앞에서 배운 대로 낱말을 쓰며 어휘력을 기릅니다.

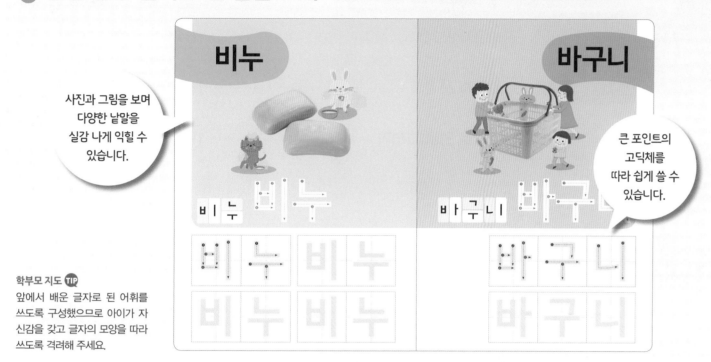

사진과 그림을 보며 다양한 낱말을 실감 나게 익힐 수 있습니다.

큰 포인트의 고딕체를 따라 쉽게 쓸 수 있습니다.

학부모 지도 TIP
앞에서 배운 글자로 된 어휘를 쓰도록 구성했으므로 아이가 자신감을 갖고 글자의 모양을 따라 쓰도록 격려해 주세요.

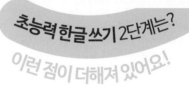

초능력 한글 쓰기 2단계는?
이런 점이 더해져 있어요!

짧은 문장으로 한번 더!
문장으로 낱말의 쓰임을 빠르게 이해하고, 낱말을 활용해 문장을 표현하는 힘을 길러요.

따라 쓰며 쏙쏙 정리
앞에서 배운 낱말을 복습하고, 문장을 완성하며 쓰기 실력까지 올려요.

주제별 낱말 학습
'동물', '채소', '자연' '우리 집' 등 다양한 주제에 따라 낱말을 공부해요.

6세 초능력 첫걸음 한글 쓰기 1단계 차례

자음자와 모음자 쓰기

출발

ㅋ
ㅈ
ㅇ
ㄱㄴㄷ

도착

자음자 쓰기

1  왼쪽에서 오른쪽으로 써요.

2 위에서 아래로 써요.

3 동그라미 모양은 시계 반대 방향으로 써요.

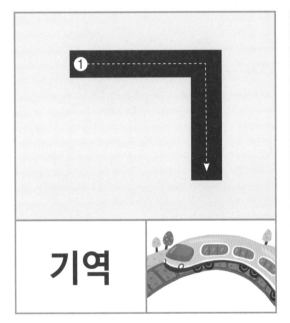

기역

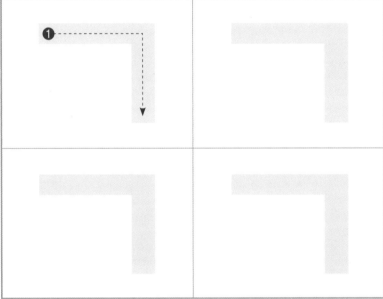

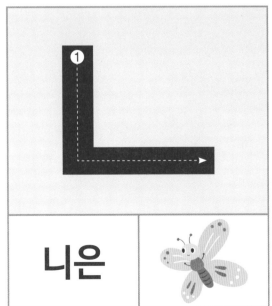

니은

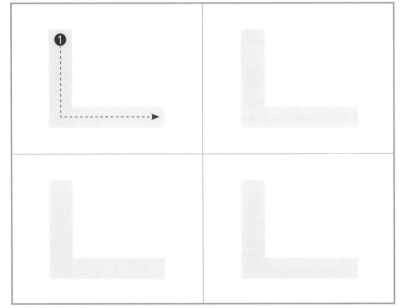

디귿

리을

미음

TIP 이렇게 지도하세요! 자음자를 ❶, ❷, ❸ 순서대로 쓰고, 화살표 방향대로 쓰게 해 주세요. 자음자 중에서 'ㄱ'과 'ㄴ'은 한 획으로 쓰고, 'ㄷ', 'ㄹ', 'ㅁ'은 여러 획으로 써야 합니다. 자음자를 쓸 때 자녀가 'ㄹ'을 한 획으로 이어 써서 숫자 '2'처럼 쓰지 않도록 주의시켜 주세요.

첫걸음 한글 쓰기 1단계   **11**

비읍

시옷

이응

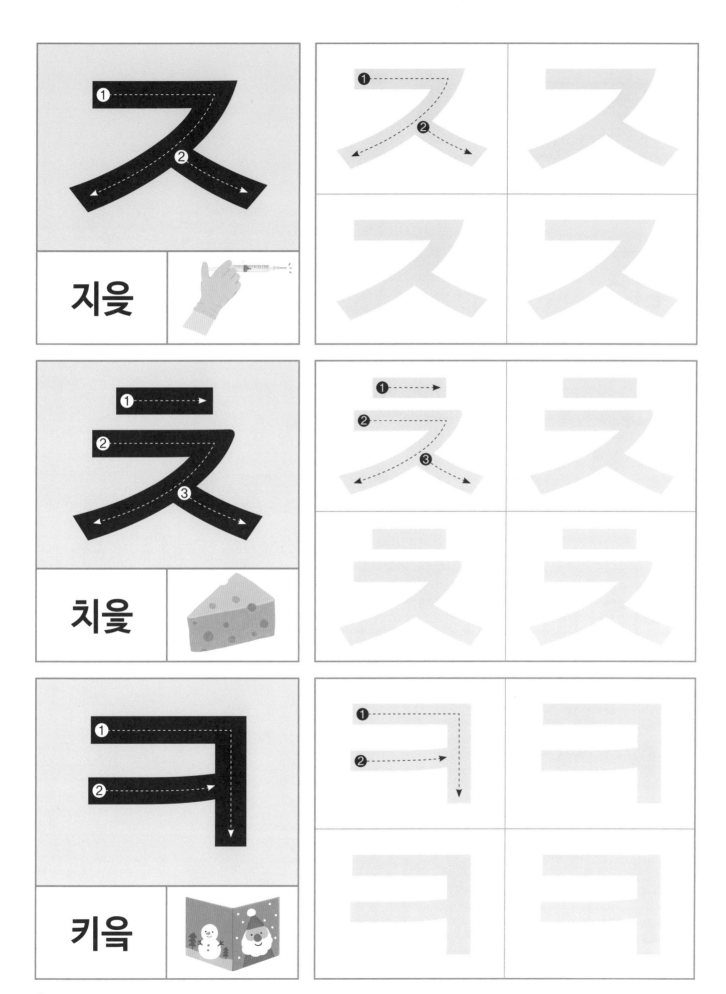

지읒

치읓

키읔

TIP 이렇게 지도하세요! 자녀가 'ㅂ' 쓰는 순서를 가장 혼동하기 쉽습니다. 'ㅂ'을 쓸 때에는 왼쪽 세로획을 쓴 다음에 오른쪽 세로획을 쓰고, 가로획을 위아래 순서를 지키며 쓰도록 지도해 주세요. 또, 'ㅈ'과 'ㅊ'을 헷갈려 하면 'ㅈ'과 'ㅊ'이 들어간 낱말을 말하며 크게 여러 번 쓰면서 바르게 구분하게 해 주세요.

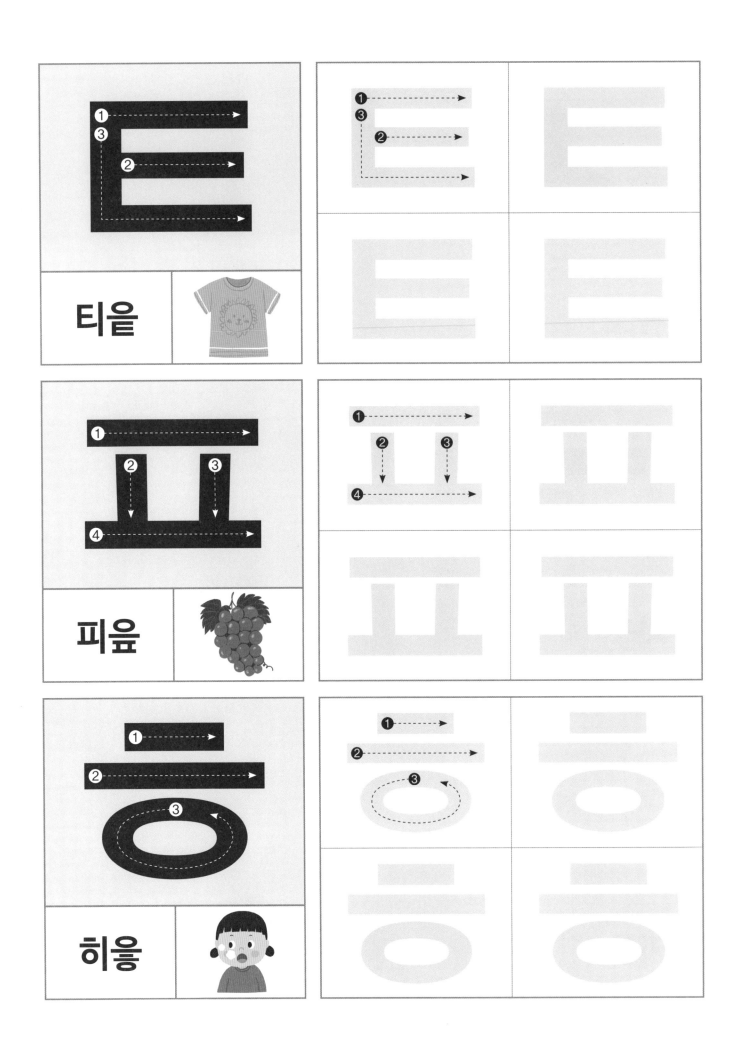

티읕

피읖

히읗

모음자 쓰기

1 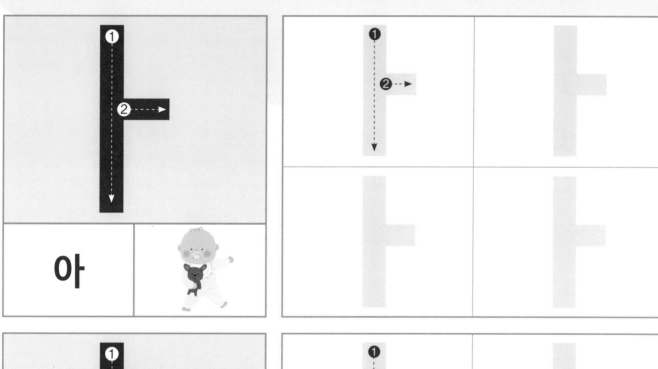 왼쪽에서 오른쪽으로 쓰고, 위에서 아래로 써요.

2 ㅏ, ㅑ, ㅓ, ㅕ, ㅣ 세로를 길게 써요.

3 ㅗ, ㅛ, ㅜ, ㅠ, ㅡ 가로를 길게 써요.

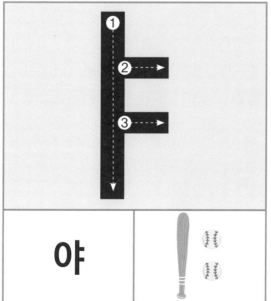

아

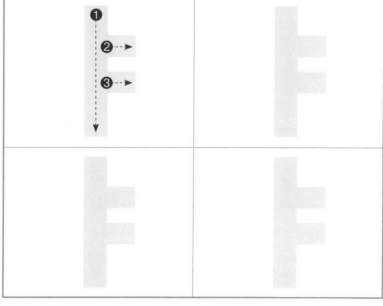

야

TIP 이렇게 지도하세요! 자음자 'ㅌ'이나 'ㅎ'처럼 여러 획으로 쓸 때에는 위에 있는 가로획을 쓴 다음 아래에 있는 가로획을 쓰게 해 주세요. 그리고 모음자도 차례대로 소리 내어 읽으면서 따라 쓰게 해 주세요. 모음자를 읽을 때에는 모음자에 자음자 'ㅇ'을 붙여서 읽는다고 알려 주세요.

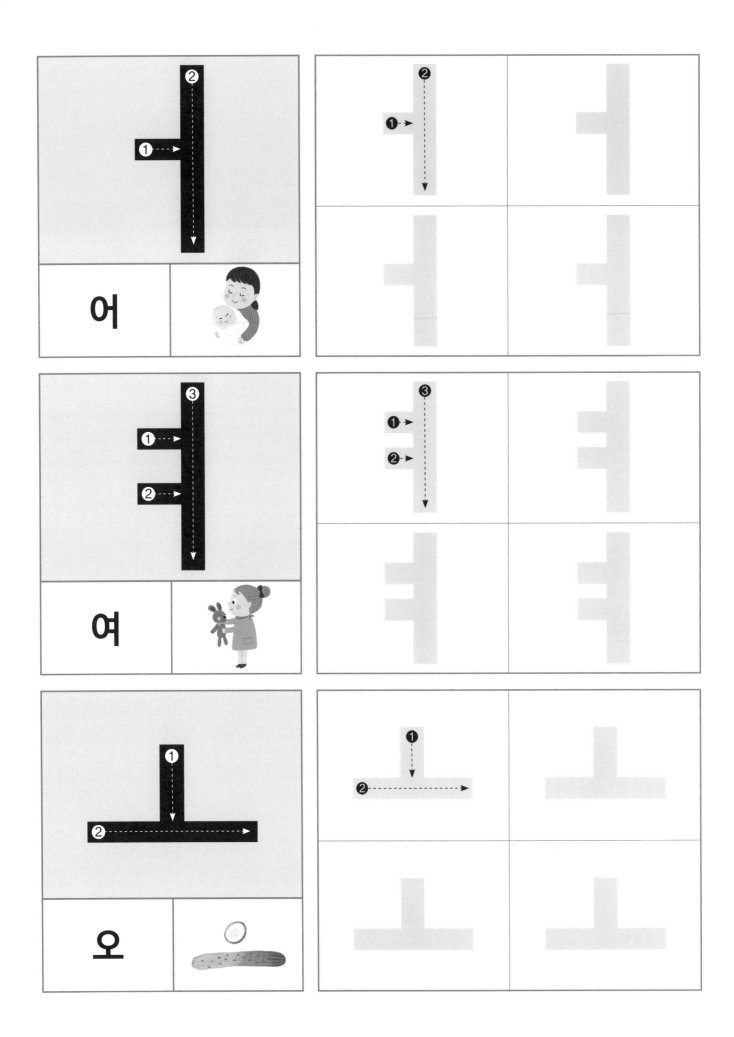

어

여

오

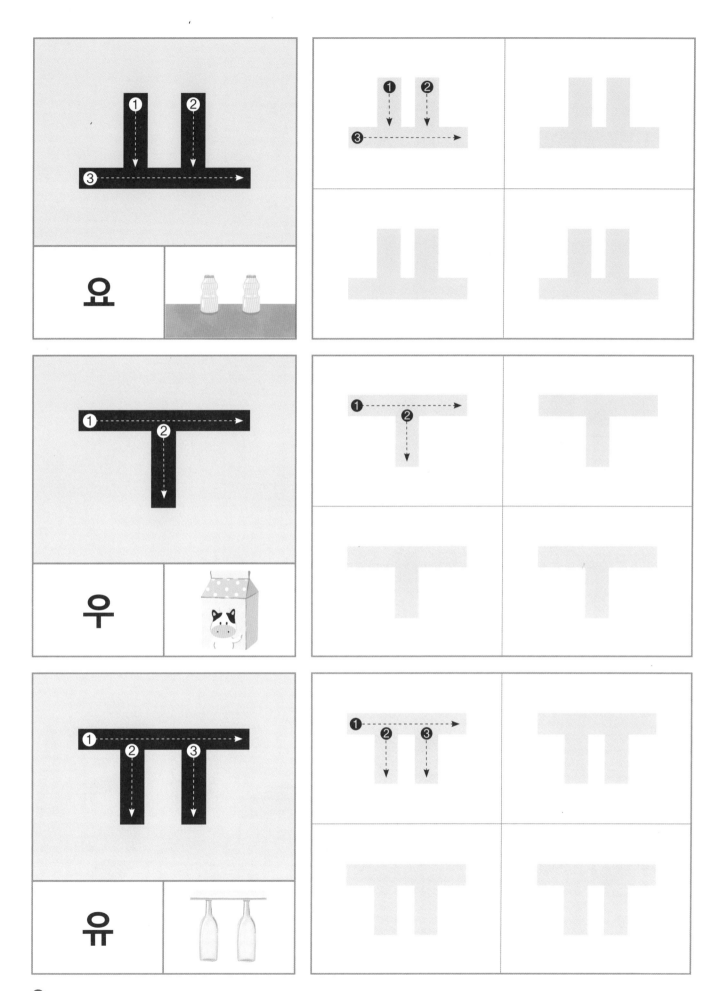

요

우

유

TIP 이렇게 지도하세요! 모음자를 쓸 때 무조건 길게 쓴 다음 짧게 쓰는 실수를 하기 쉽습니다. 'ㅏ'와 'ㅑ'는 왼쪽에 있는 가로획을 짧게 먼저 써야 하고, 'ㅗ'와 'ㅛ'는 위쪽에 있는 세로획을 짧게 먼저 써야 합니다. 자녀가 쓰기 순서에 익숙해지도록 충분히 반복하여 쓰는 연습을 시켜 주세요.

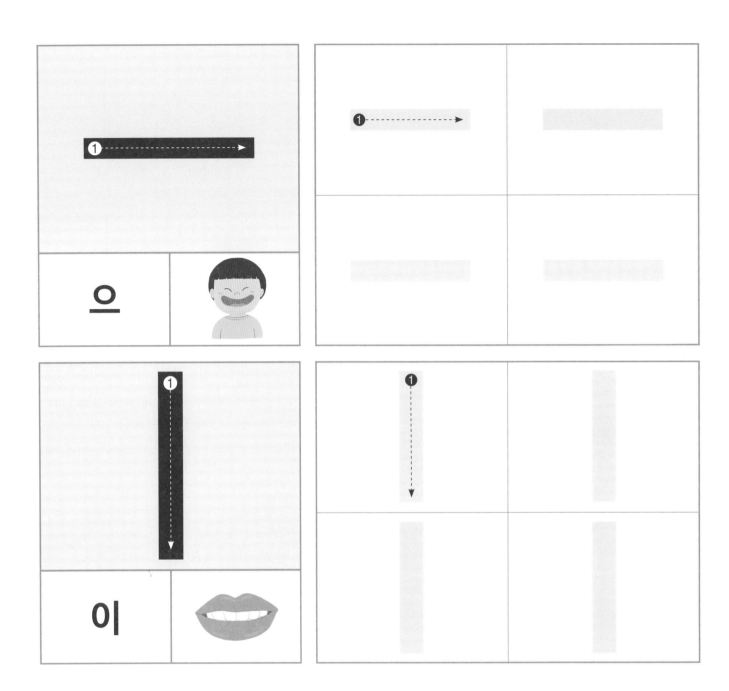

ㅇ

이

글자로 얼굴 그리기

아래 글자를 넣어 좋아하는 사람의 얼굴을 그려 보세요.

ㄱ ㄴ ㄷ ㅁ ㅂ ㅅ ㅇ ㅎ
ㅏ ㅓ ㅗ ㅛ ㅜ ㅠ ㅡ ㅣ

TIP 이렇게 지도하세요! 앞에서 배운 한글 자음자와 모음자로 그림 그리기 놀이를 하게 해 주세요. 자모음자를 이용해 좋아하는 사람의 얼굴을 그려 보면서 글자에 대한 흥미를 더욱 높이고, 받침 없는 글자를 쓰기 전에 다시 한번 낱자를 익힐 수 있습니다.

받침 없는 글자 쓰기

ㅅ
ㅗ

ㄹ ㅏ

소 라

ㄴ ㅏ

ㅁ
ㅜ

나 무

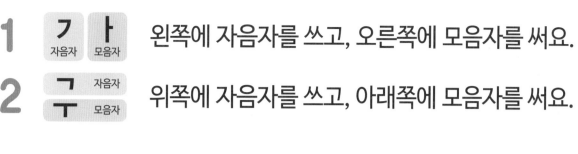

1 자음자 모음자 왼쪽에 자음자를 쓰고, 오른쪽에 모음자를 써요.

2 자음자 모음자 위쪽에 자음자를 쓰고, 아래쪽에 모음자를 써요.

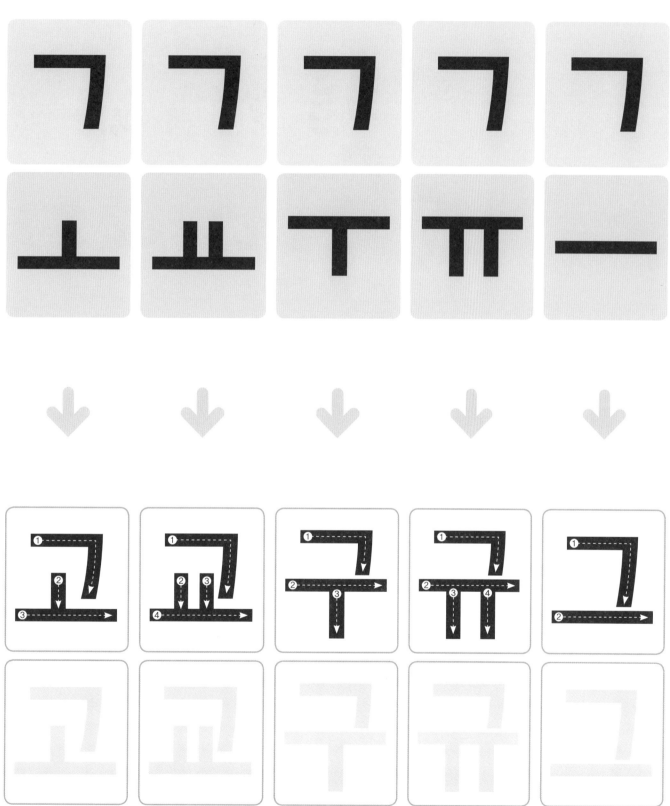

TIP 이렇게 지도하세요! 'ㄱ'과 모음자가 만나 하나의 글자를 이루는 짜임을 바르게 알게 해 주시고, 소리 내어 읽으면서 글자를 따라 쓰게 해 주세요. 그리고 '가'에 선을 하나 더 그으면 '갸'가 되고, '고'에 선을 하나 더 그으면 '교'가 되어 서로 다른 글자가 되는 점도 이해하고 쓰도록 알려 주세요.

가

첫걸음 한글 쓰기 1단계

유치원

구

가구

가구

거기

거기

고기

기구

기구

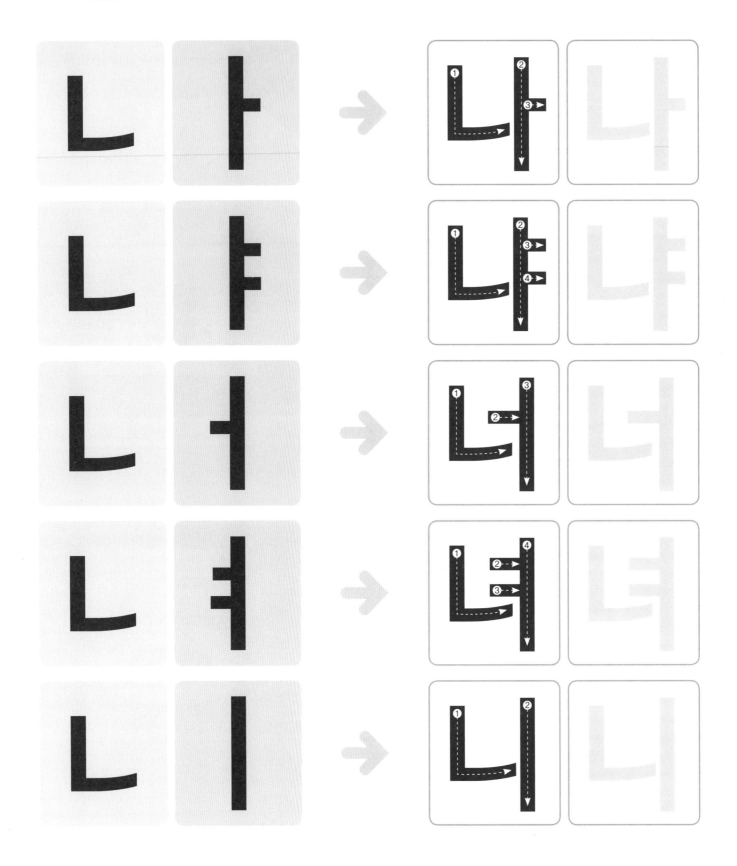

1  **왼쪽에 자음자를 쓰고, 오른쪽에 모음자를 써요.**

2 위쪽에 자음자를 쓰고, 아래쪽에 모음자를 써요.

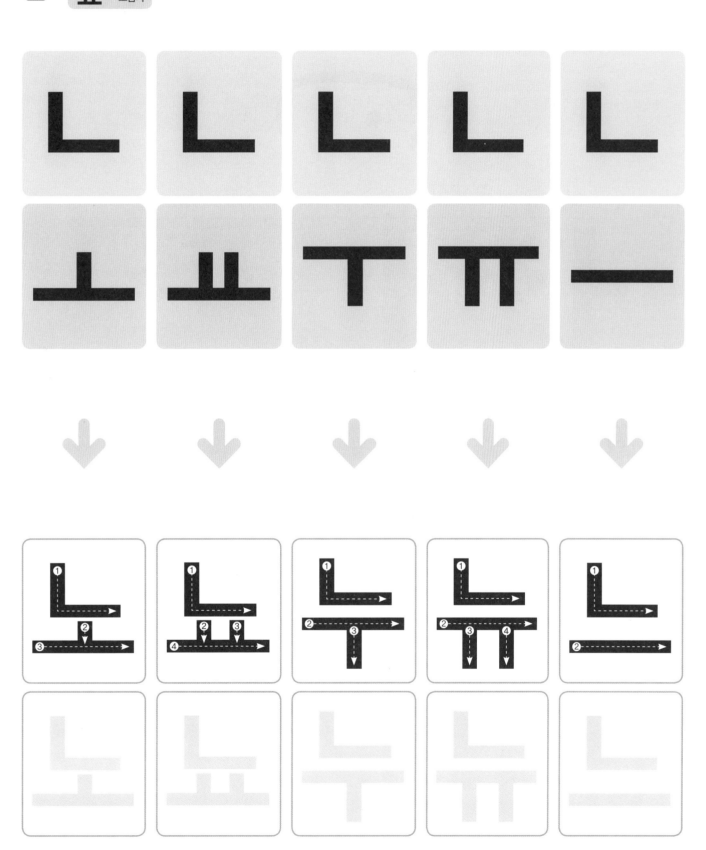

TIP **이렇게 지도하세요!** 'ㄴ'이 모음자 'ㅏ, ㅑ, ㅓ, ㅕ, ㅣ'를 만날 때는 좌우로 나란히 쓰고, 'ㄴ'이 모음자 'ㅗ, ㅛ, ㅜ, ㅠ, ㅡ'를 만날 때는 상하로 나란히 쓰게 해 주세요. 또, 'ㄴ'을 한 획으로 쓰기 때문에 비뚤게 흘려 쓰는 경우가 많으니 고딕체로 여러 번 글자 쓰는 연습을 시켜 주세요.

나

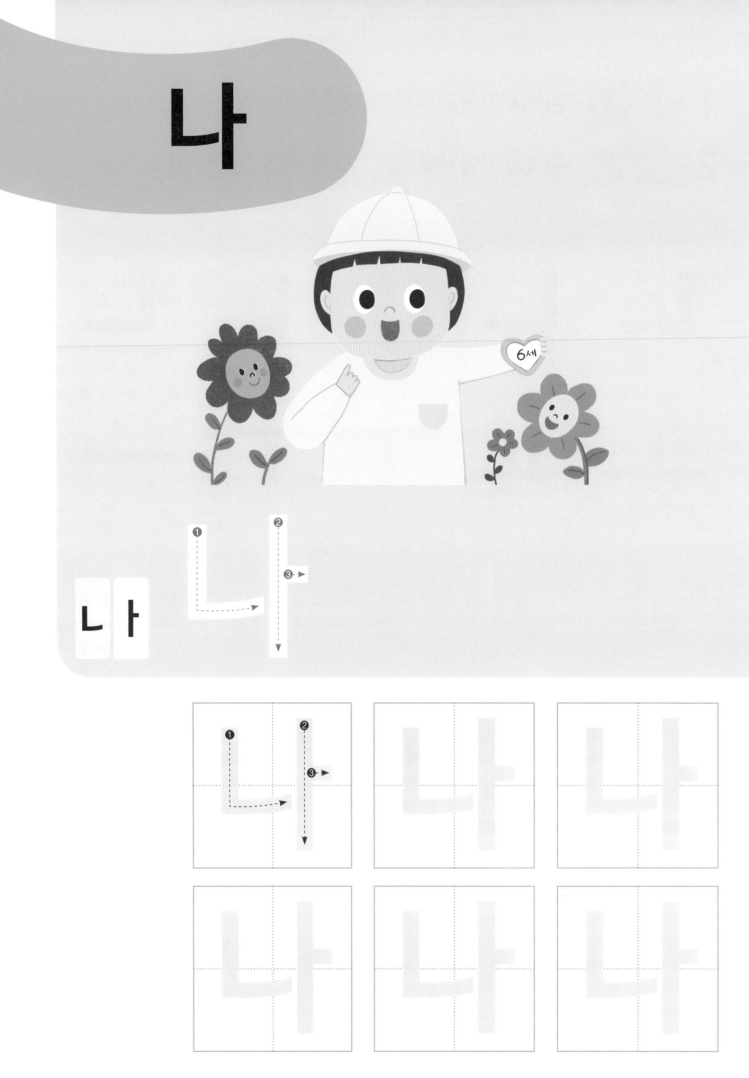

너

너

노

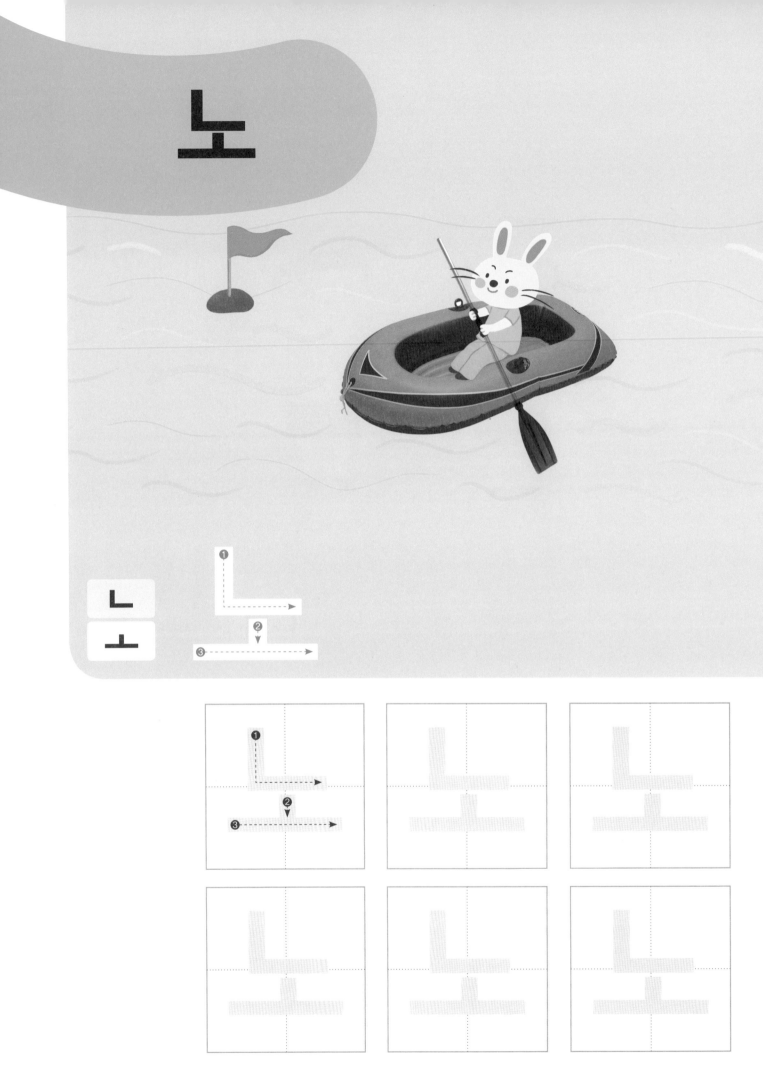

누나

첫걸음 한글

누나

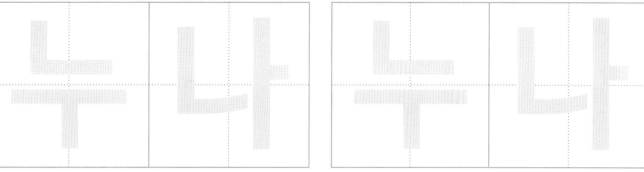

ㄷ 들어간 글자 쓰기

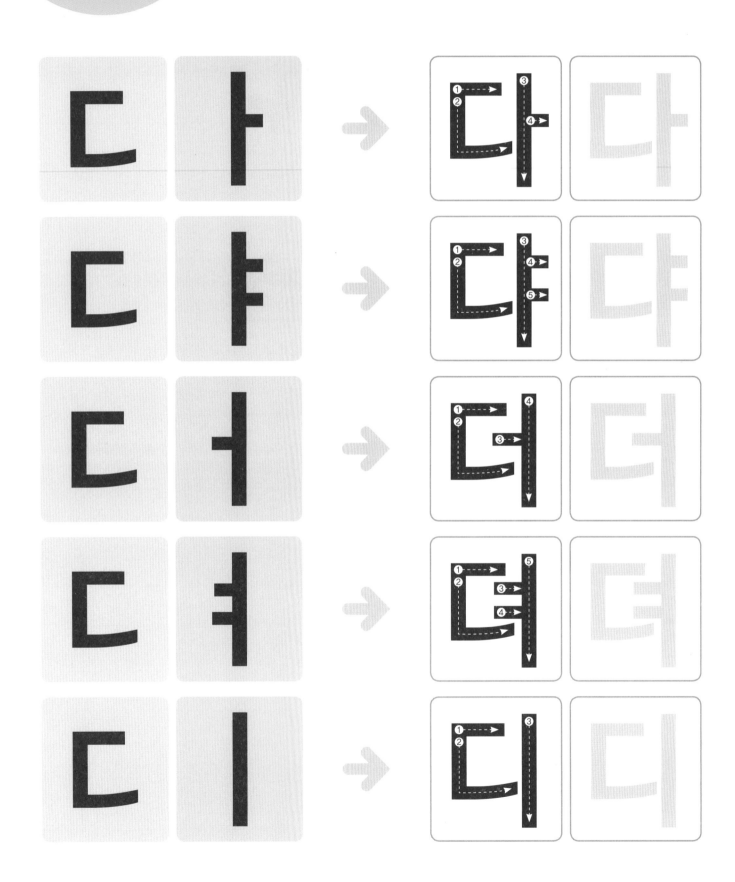

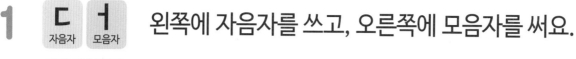

1 **ㄷ** 자음자 **ㅓ** 모음자   왼쪽에 자음자를 쓰고, 오른쪽에 모음자를 써요.

2 **ㄷ** 자음자 **ㅜ** 모음자   위쪽에 자음자를 쓰고, 아래쪽에 모음자를 써요.

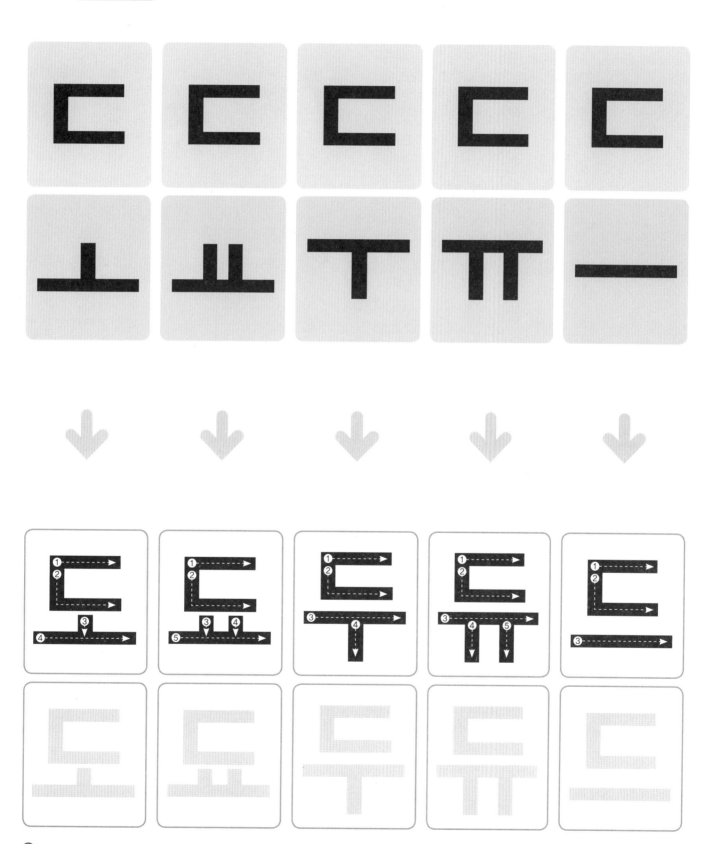

💡 **이렇게 지도하세요!** 'ㄷ'을 한 획으로 쓰는 아이들이 많지만, 두 획으로 나누어 써야 합니다. 자녀가 처음부터 자음자와 모음자에 붙은 번호의 순서와 화살표의 방향에 맞게 쓰는 습관을 기르도록 지도해 주세요. 다음 획을 쓸 때 잠깐 연필을 떼었다가 쓰면 획순을 기억하는 데에 도움이 됩니다.

구두

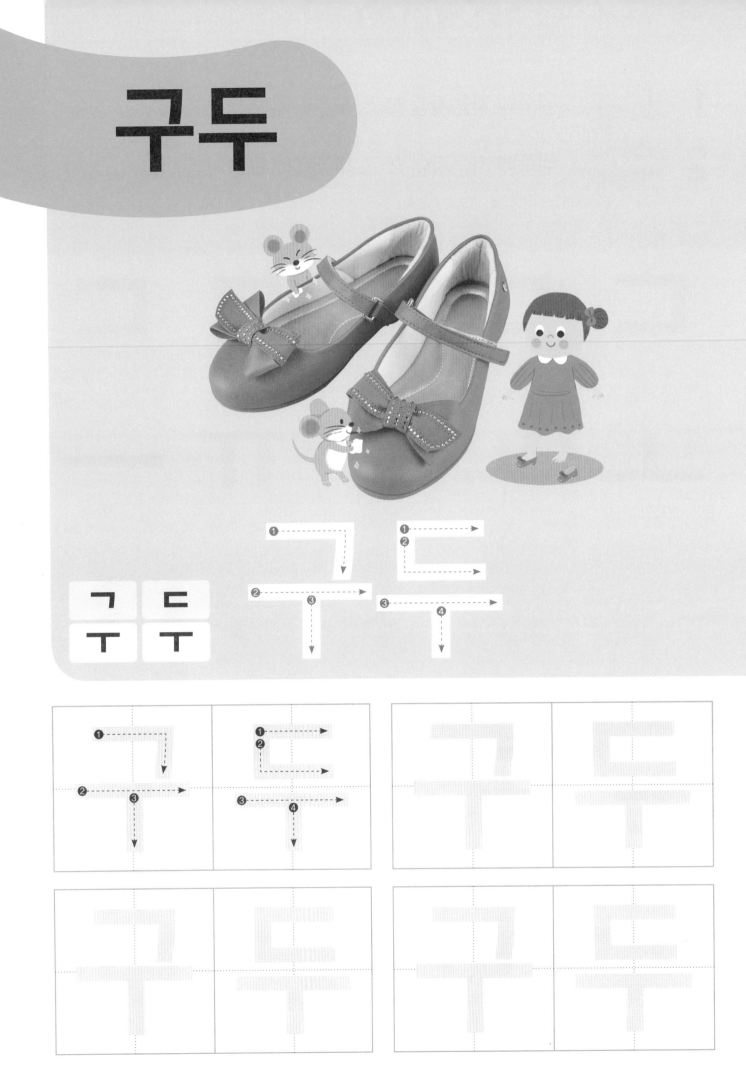

기도

기도

나다

첫걸음 한글 쓰기

ㄴ ㅏ ㄷ ㅏ

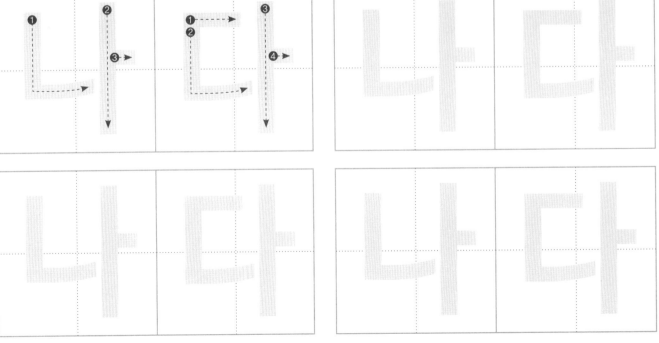

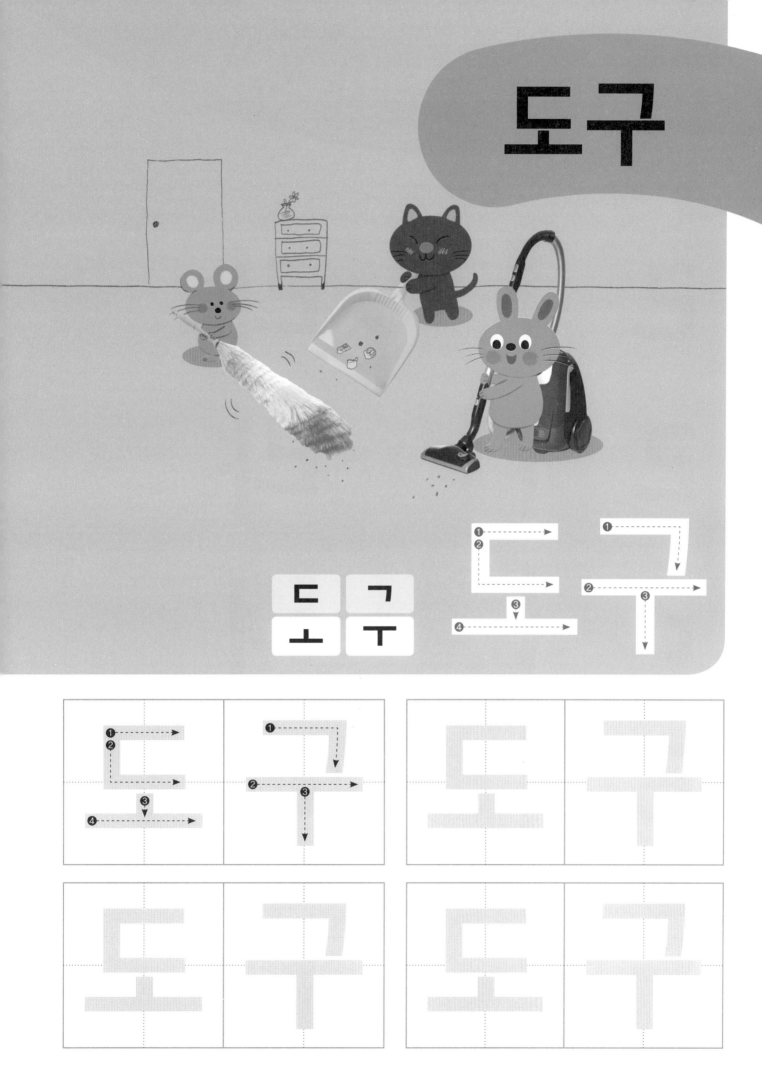

도구

ㄹ 들어간 글자 쓰기

1 ㄹ ㅕ 자음자 모음자 왼쪽에 자음자를 쓰고, 오른쪽에 모음자를 써요.

2 ㄹ 자음자 ㅠ 모음자 위쪽에 자음자를 쓰고, 아래쪽에 모음자를 써요.

ㄹ ㄹ ㄹ ㄹ ㄹ

ㅗ ㅛ ㅜ ㅠ ㅡ

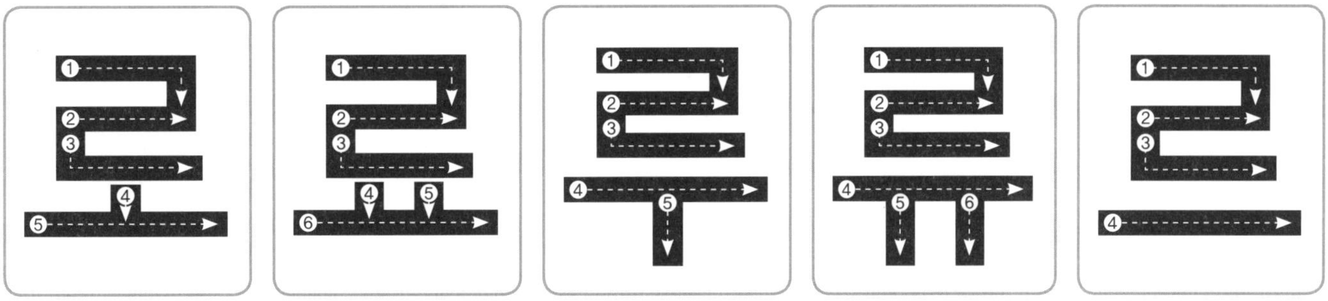

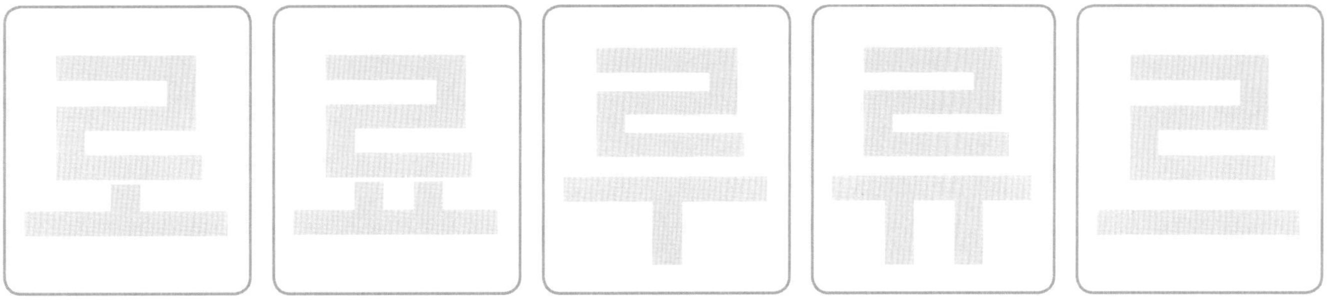

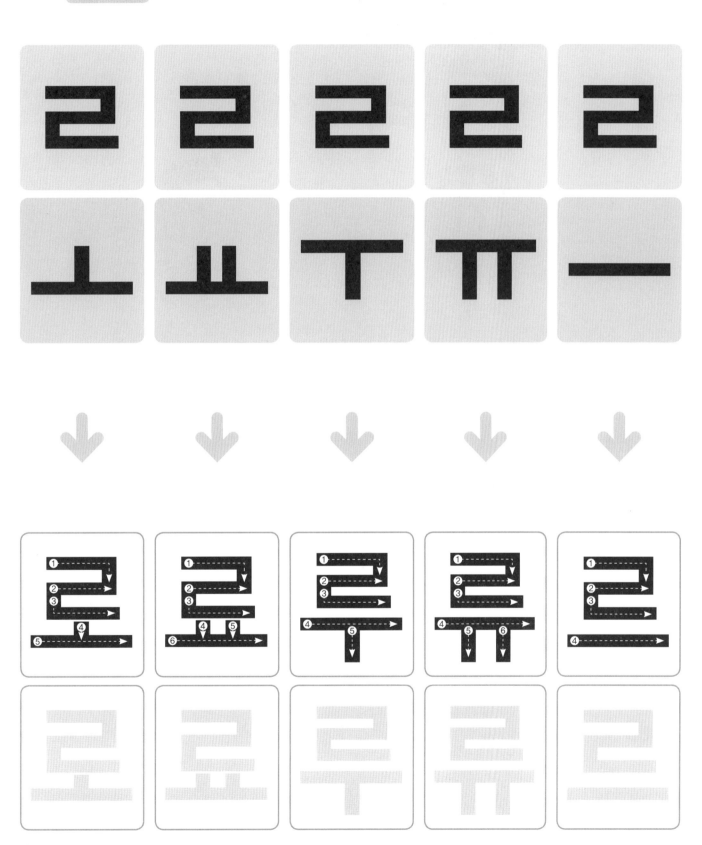

TIP 이렇게 지도하세요! 'ㄹ'이 들어간 글자부터는 획수가 많아지기 때문에 자녀가 글자 쓰는 일 자체를 힘들어할 수 있어요. 그럴 때는 자녀가 좋아하는 말(예: 오리, 너구리, 로봇)에 'ㄹ'이 들어간 글자가 들어 있음을 알려 주시고, 부모님께서 먼저 바른 순서로 글자 쓰는 시범을 보여 주시는 것이 좋습니다.

가루

가루

가 루

나라

나 라

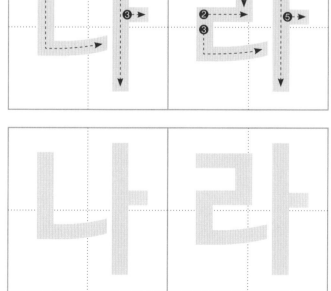

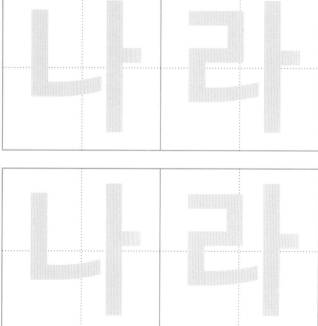

노루

ㄴ ㄹ
ㅗ ㅜ

다리

다리

도로

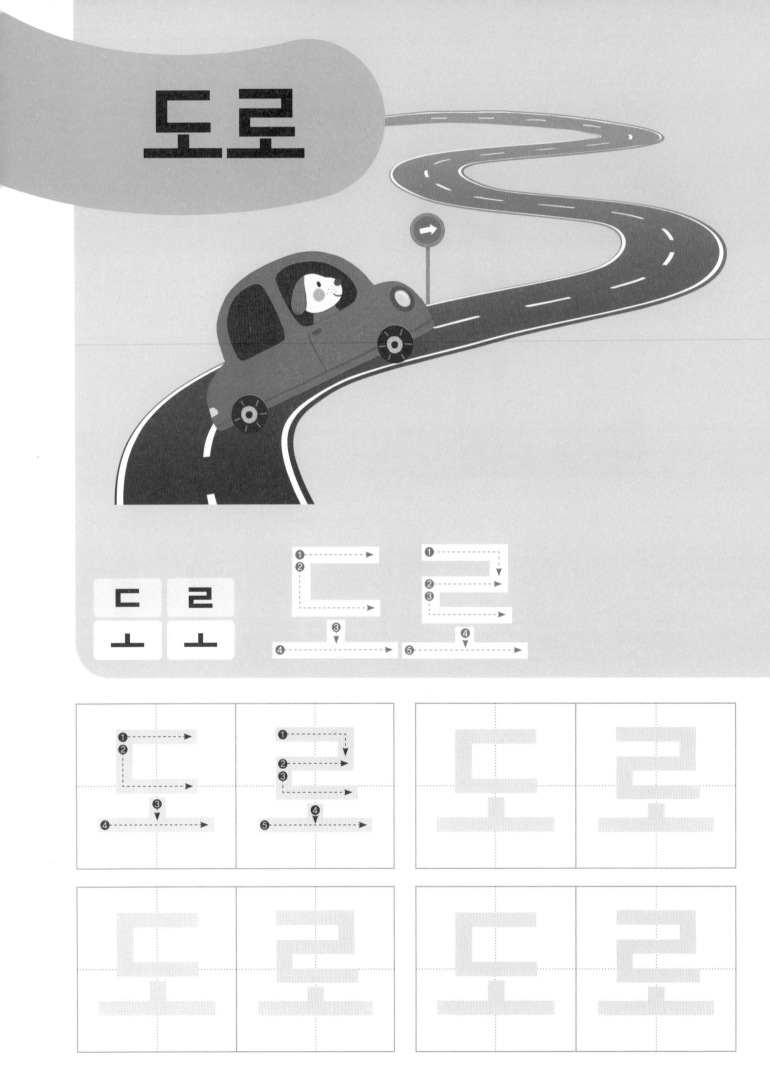

너구리

너구리 너구리

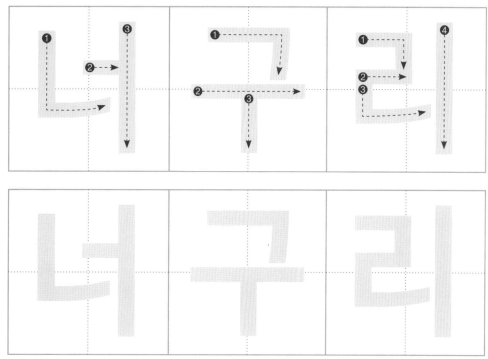

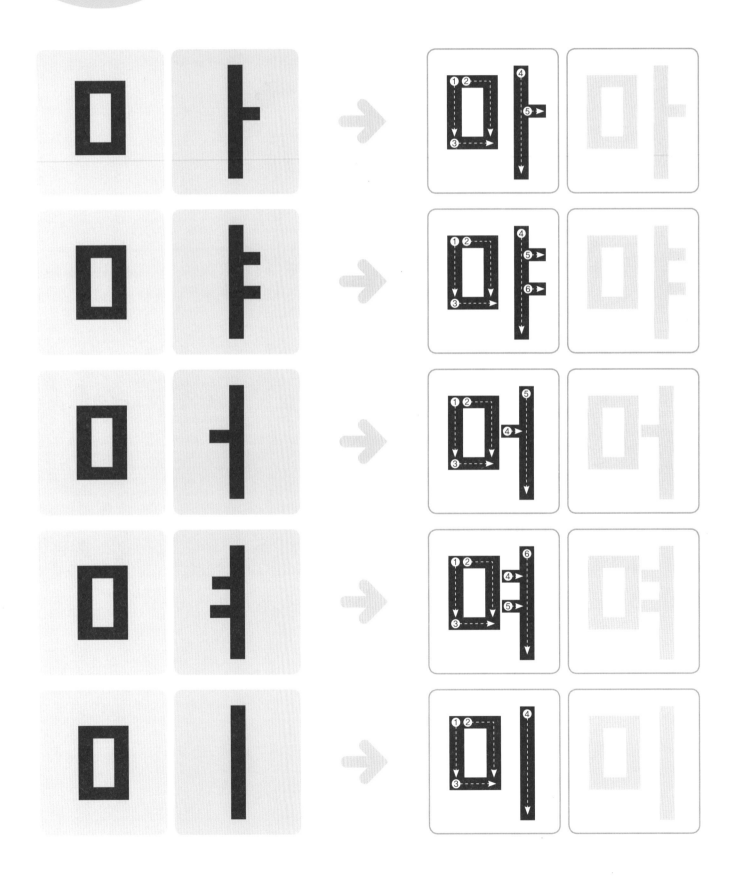

1 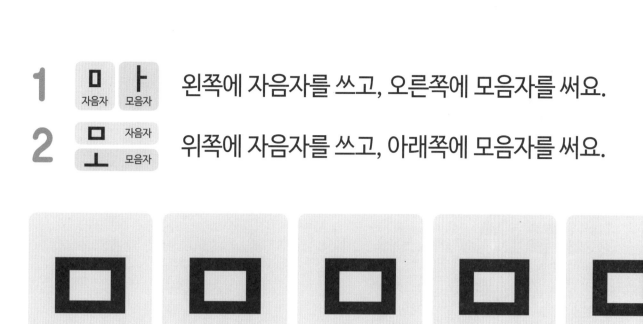 왼쪽에 자음자를 쓰고, 오른쪽에 모음자를 써요.

2 위쪽에 자음자를 쓰고, 아래쪽에 모음자를 써요.

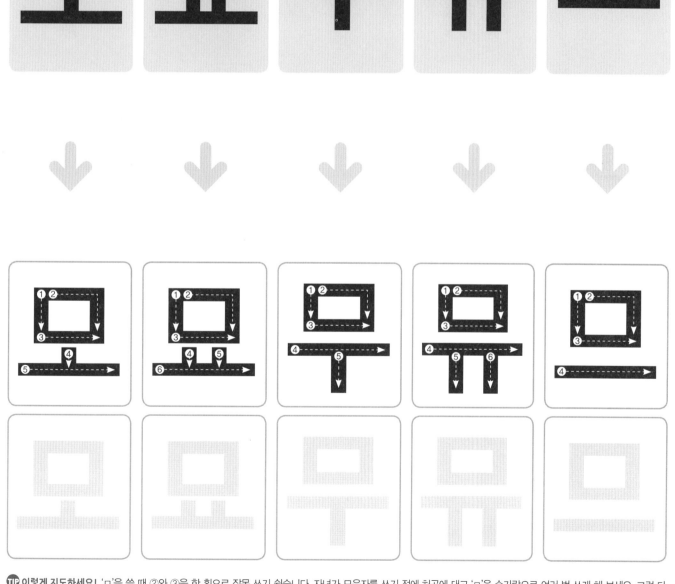

ⅡP 이렇게 지도하세요! 'ㅁ'을 쓸 때 ②와 ③을 한 획으로 잘못 쓰기 쉽습니다. 자녀가 모음자를 쓰기 전에 허공에 대고 'ㅁ'을 손가락으로 여러 번 쓰게 해 보세요. 그런 다음 책의 흐린 글자 위에 직접 연필로 쓰도록 도와주세요. 이때 자녀가 자주 사용하는 '마', '미', '모', '무'를 바른 모양으로 썼는지 확인해 주세요.

무

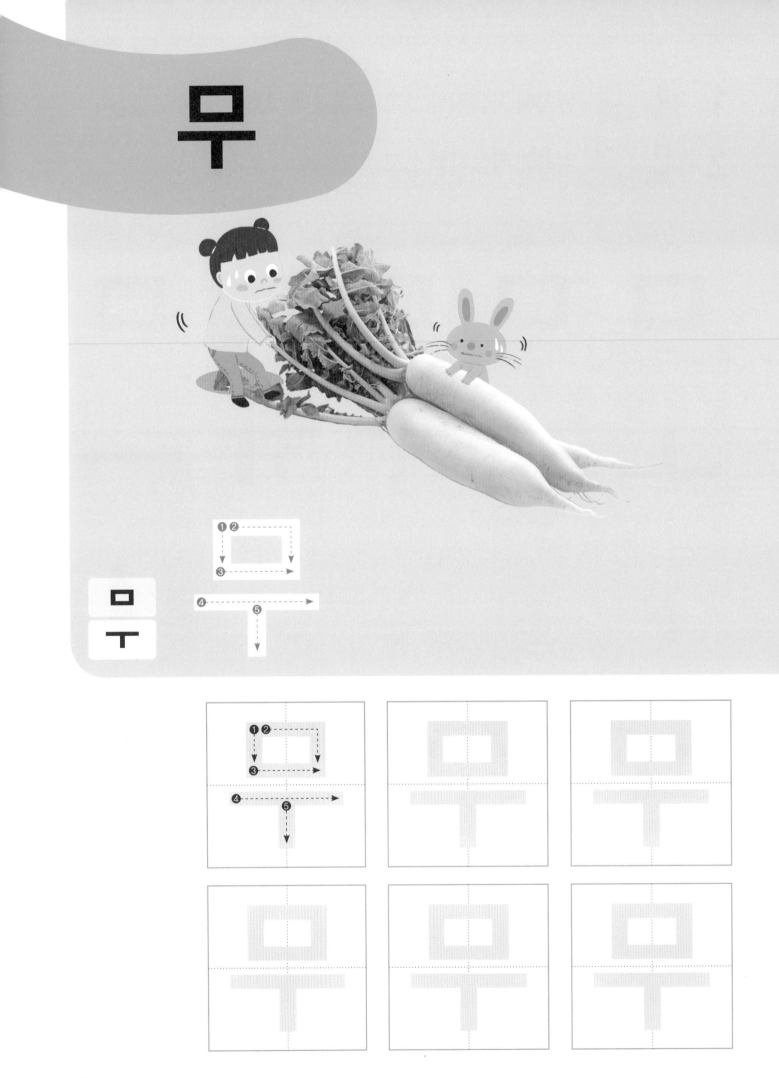

나무

마녀

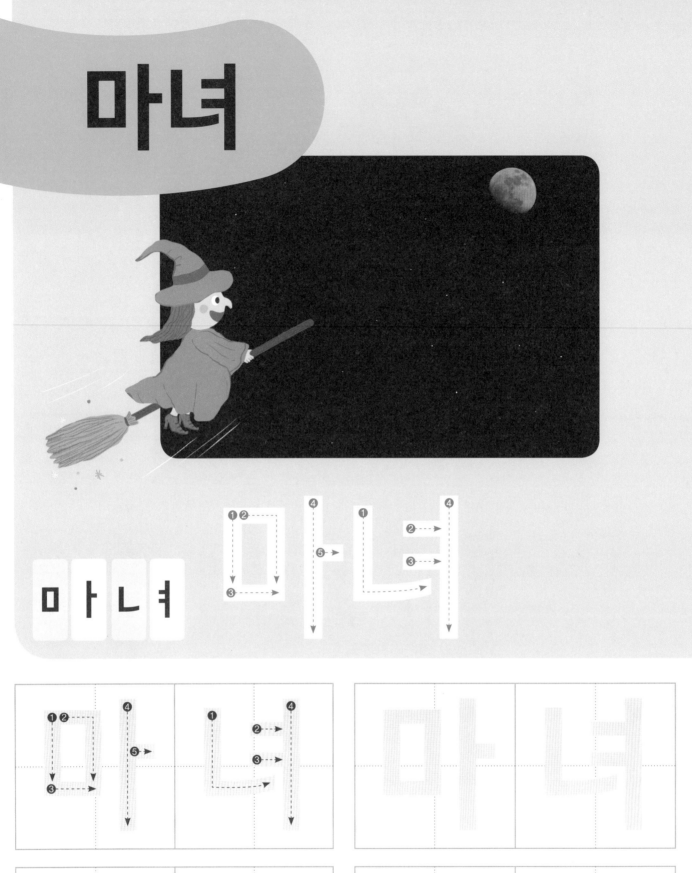

마녀

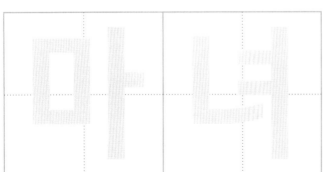

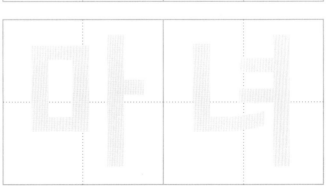

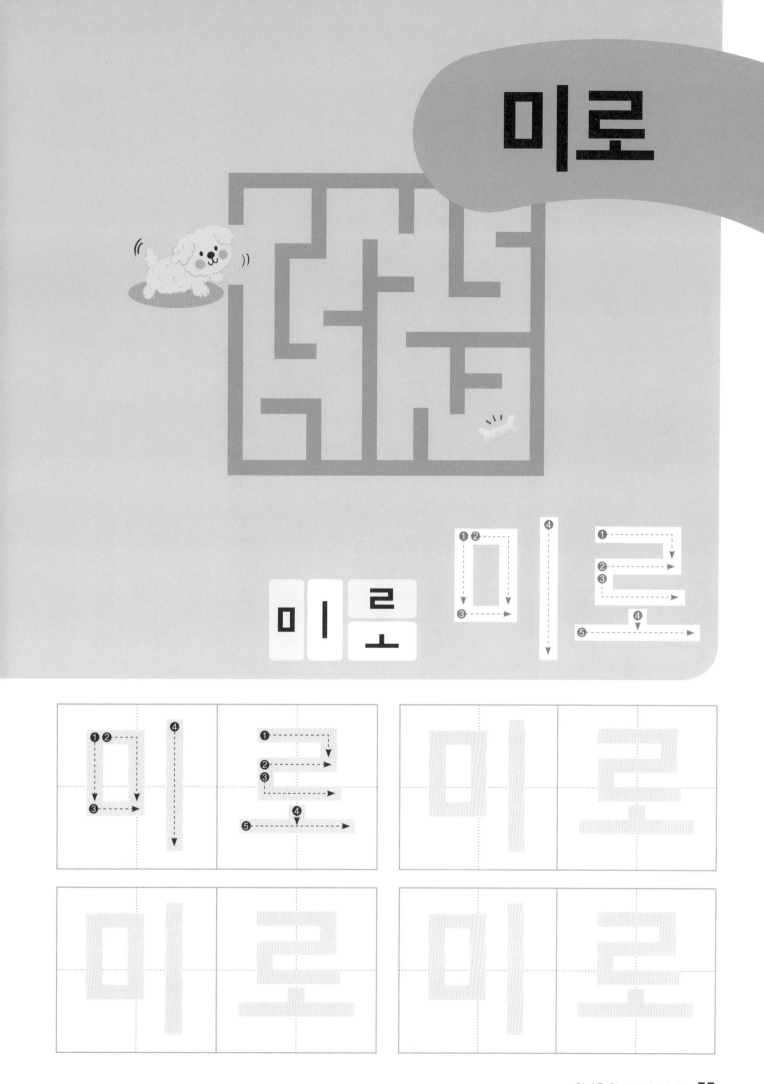

미로

미로

고구마

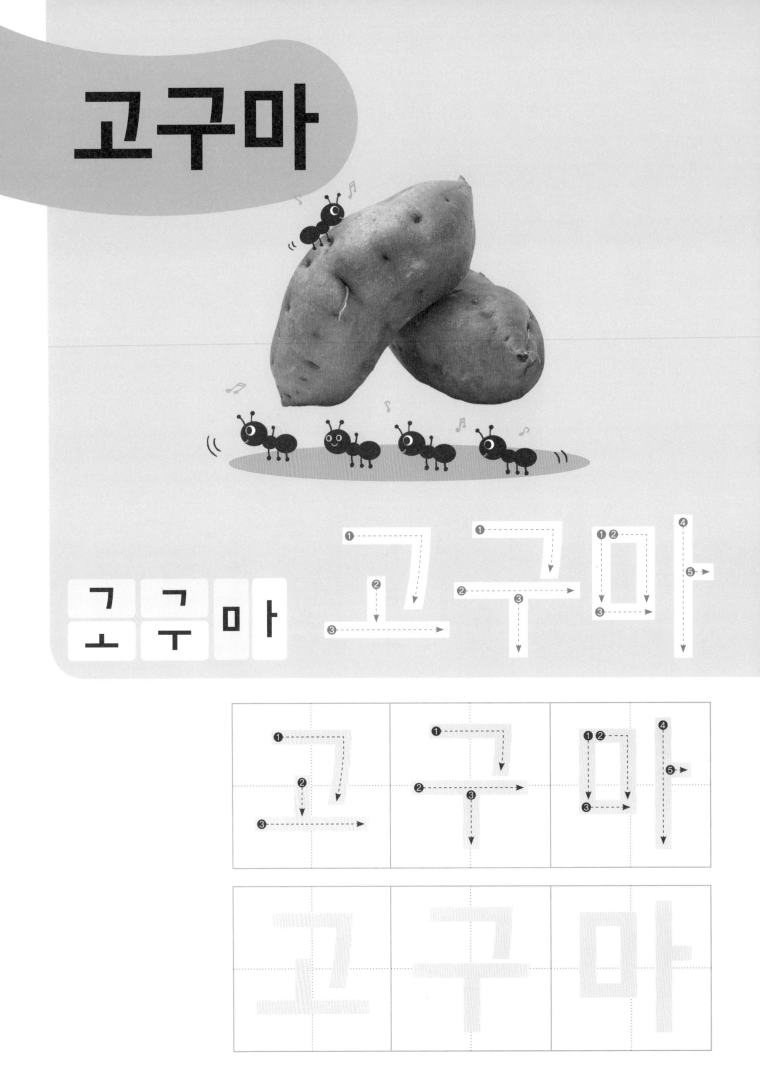

고구마

다리미

다리미

다리미

다리미

다리미

ㅂ 들어간 글자 쓰기

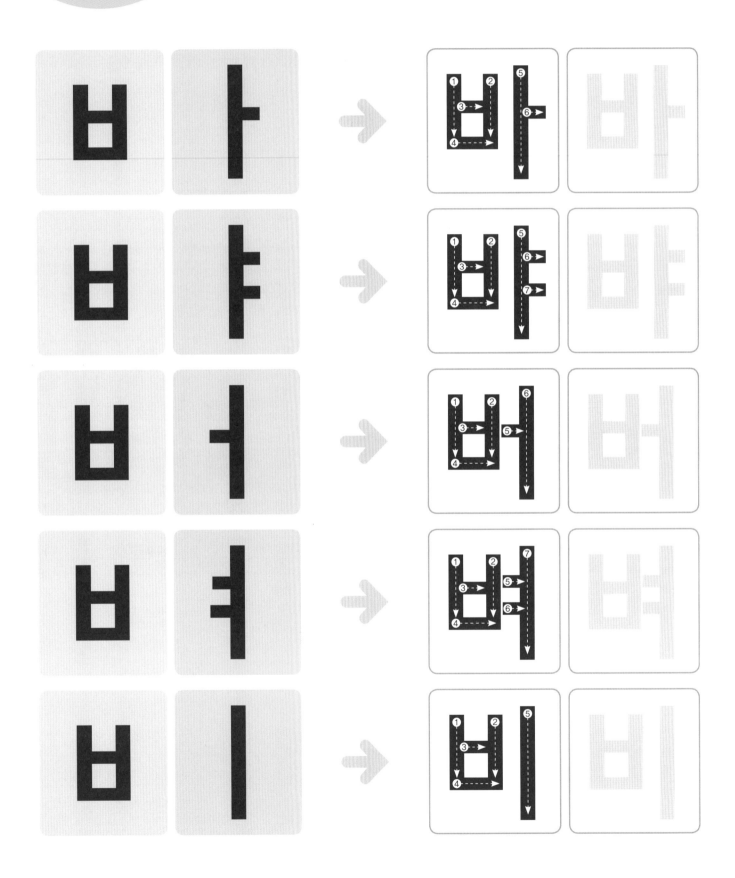

1 ㅂ 자음자 ㅏ 모음자   왼쪽에 자음자를 쓰고, 오른쪽에 모음자를 써요.

2 ㅂ 자음자 ㅗ 모음자   위쪽에 자음자를 쓰고, 아래쪽에 모음자를 써요.

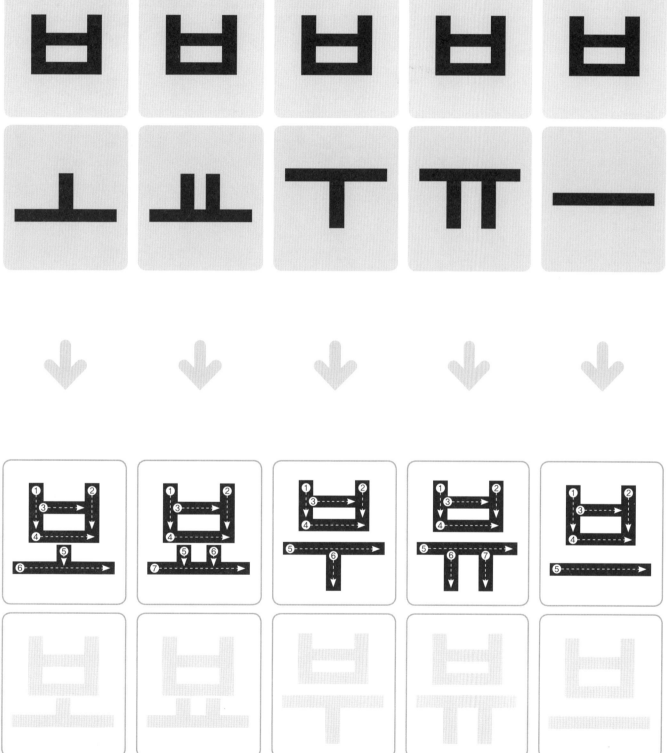

TIP 이렇게 지도하세요! 'ㅂ'에서 세로획부터 두 번 먼저 긋고, 그 사이에 가로획을 두 번 긋게 해 주세요. 또, 'ㅂ' 자에 모음자를 이어 쓸 때는 'ㅂ' 가까이에 있는 획부터 차례대로 긋게 해 주세요. 특히 'ㅂ'을 'ㅑ', 'ㅕ', 'ㅛ', 'ㅠ'와 같은 이중 모음과 함께 쓸 때는 쓰는 순서를 헷갈리기 쉬우니 주의시켜 주세요.

벼

두부

바다

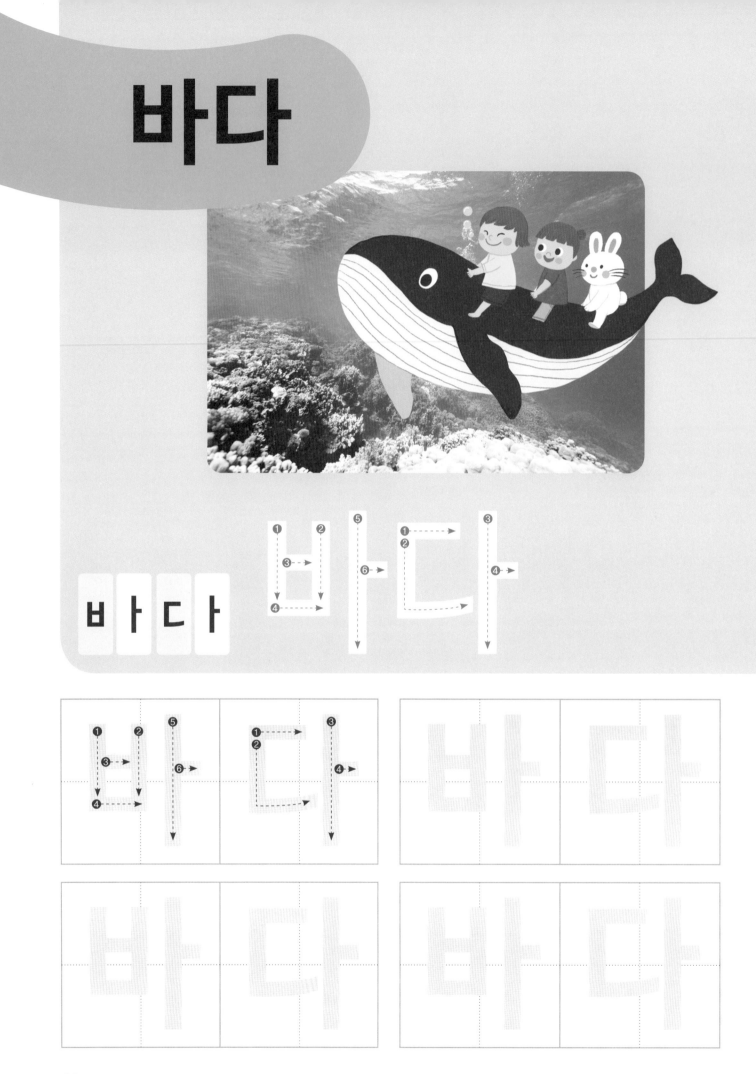

바다

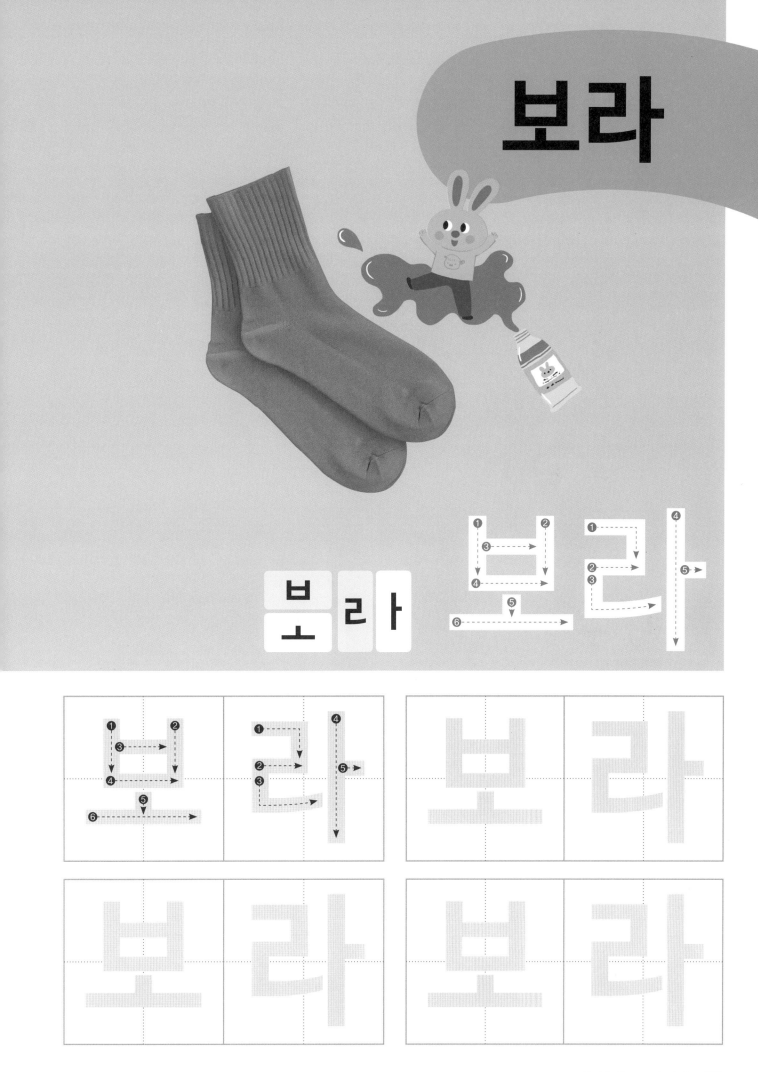

보라

비누

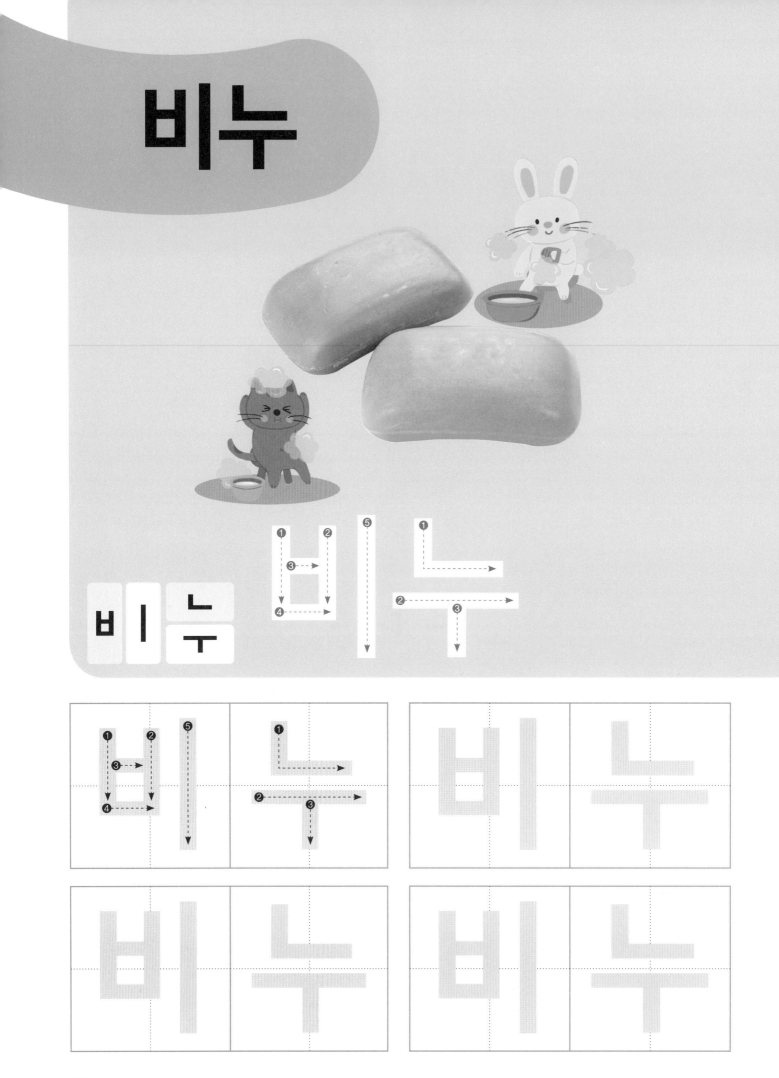

바구니

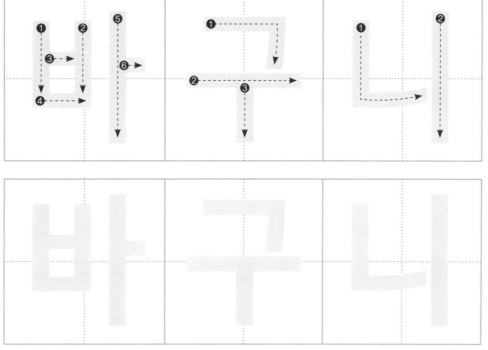

ㅅ 들어간 글자 쓰기

1 **ㅅ** **ㅑ** 왼쪽에 자음자를 쓰고, 오른쪽에 모음자를 써요.
자음자 모음자

2 **쇼** 자음자 위쪽에 자음자를 쓰고, 아래쪽에 모음자를 써요.
모음자

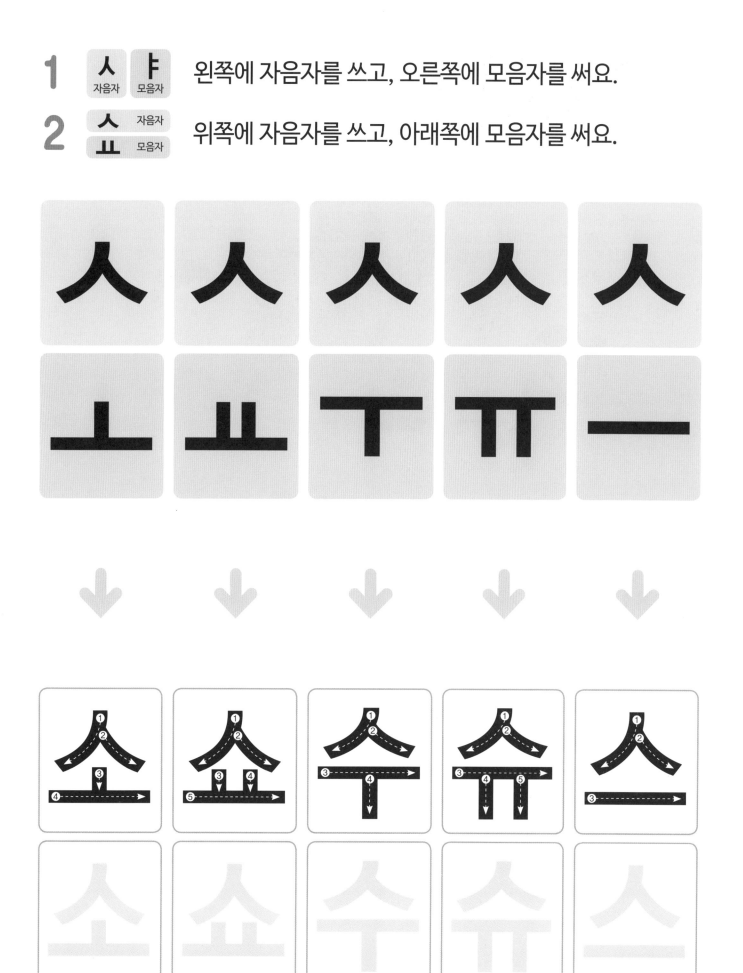

TIP 이렇게 지도하세요! 자녀가 주변에서 자주 사용하는 사물이나 동식물을 중심으로 'ㅅ'이 들어간 낱말(예: 소, 사자, 시소)을 먼저 떠올려 보게 해 주세요. 그리고 그 낱말
에 들어 있는 글자를 교재에서 하나씩 찾아보면서 글자에 대한 흥미를 높인 다음 또박또박 쓰게 해 주시면 좋습니다.

가시

가시

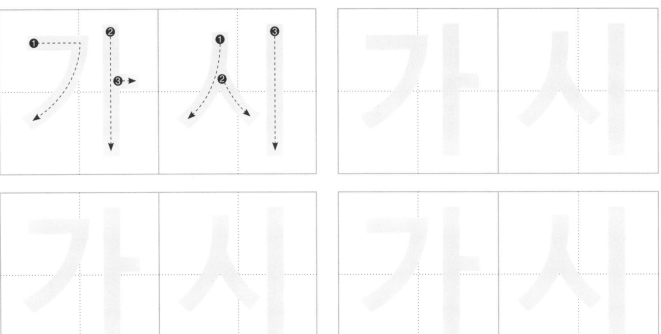

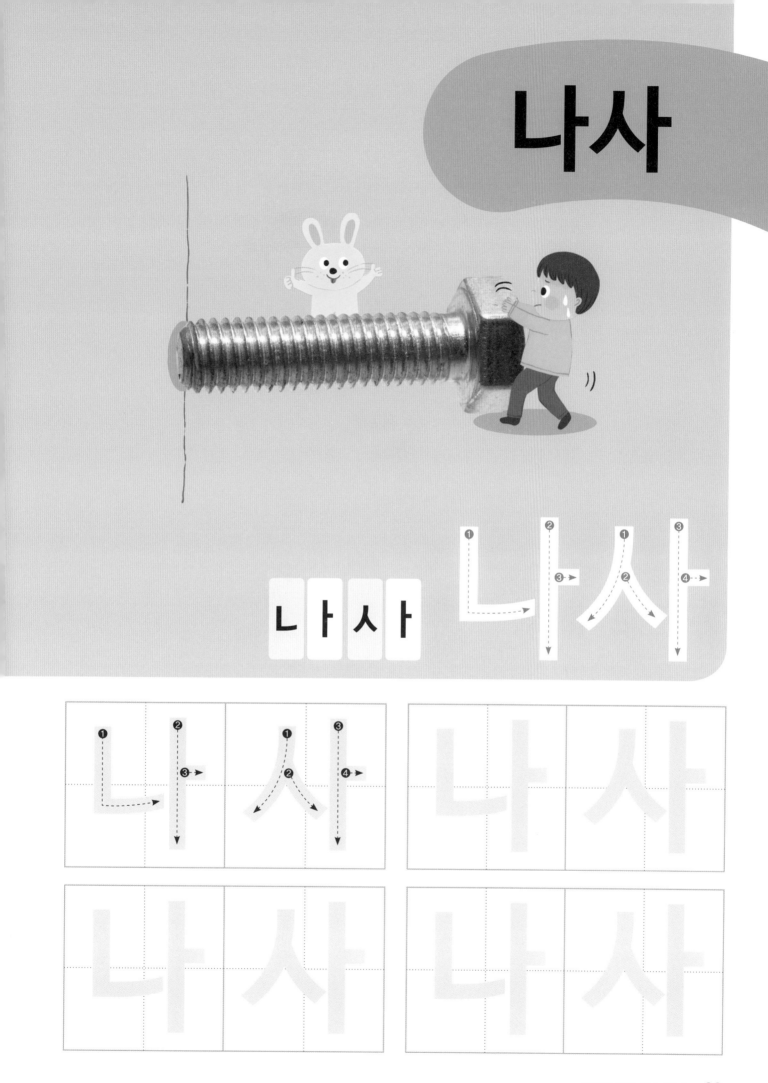

나사

ㄴ ㅏ ㅅ ㅏ

소라

소 라

소스

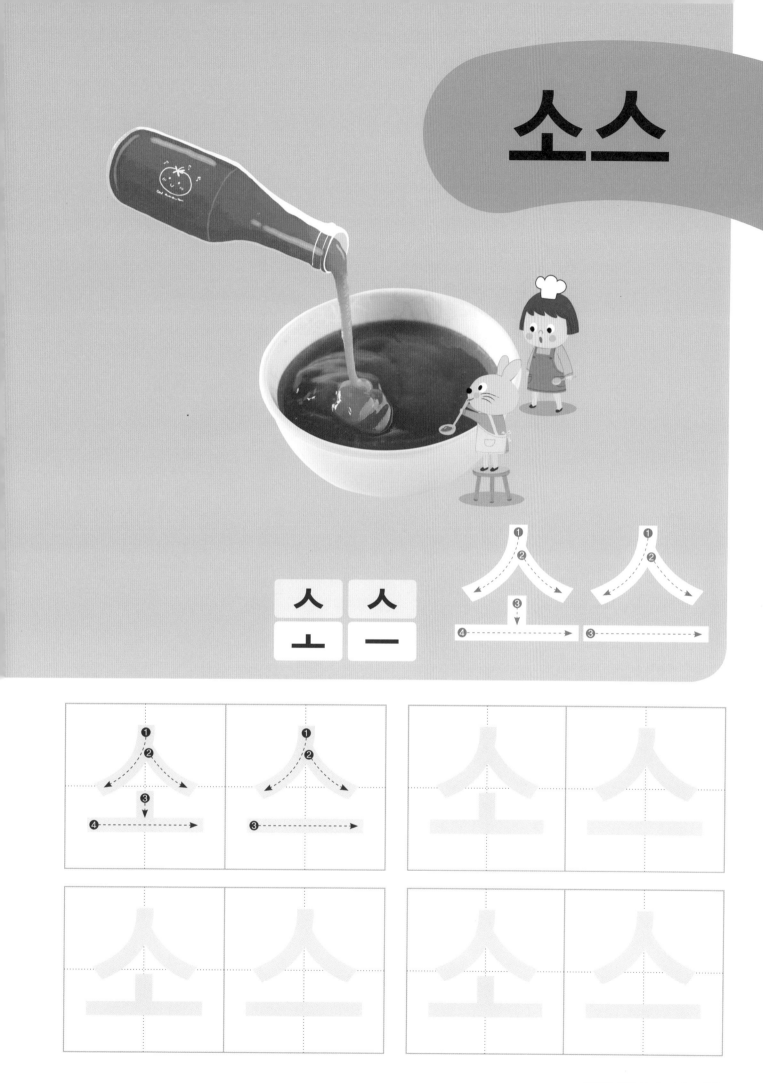

수도

시소

시소

시소

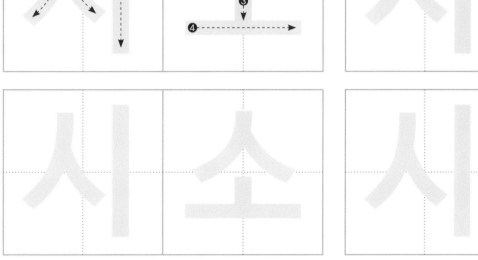

ㅇ 들어간 글자 쓰기

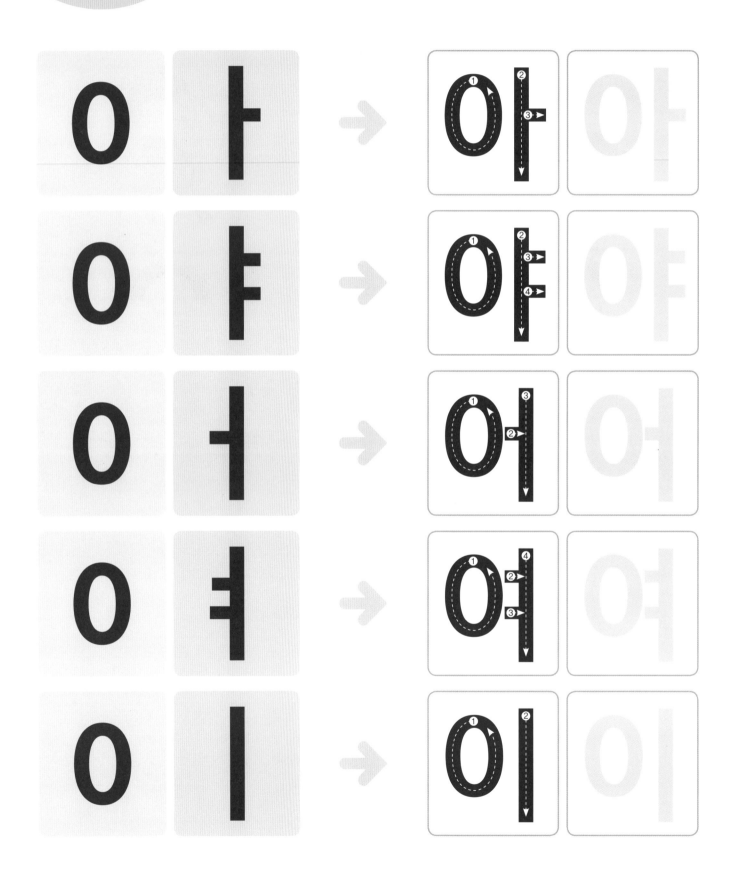

1 **ㅇ** **ㅓ** 왼쪽에 자음자를 쓰고, 오른쪽에 모음자를 써요.
자음자 모음자

2 **우** 자음자 위쪽에 자음자를 쓰고, 아래쪽에 모음자를 써요.
모음자

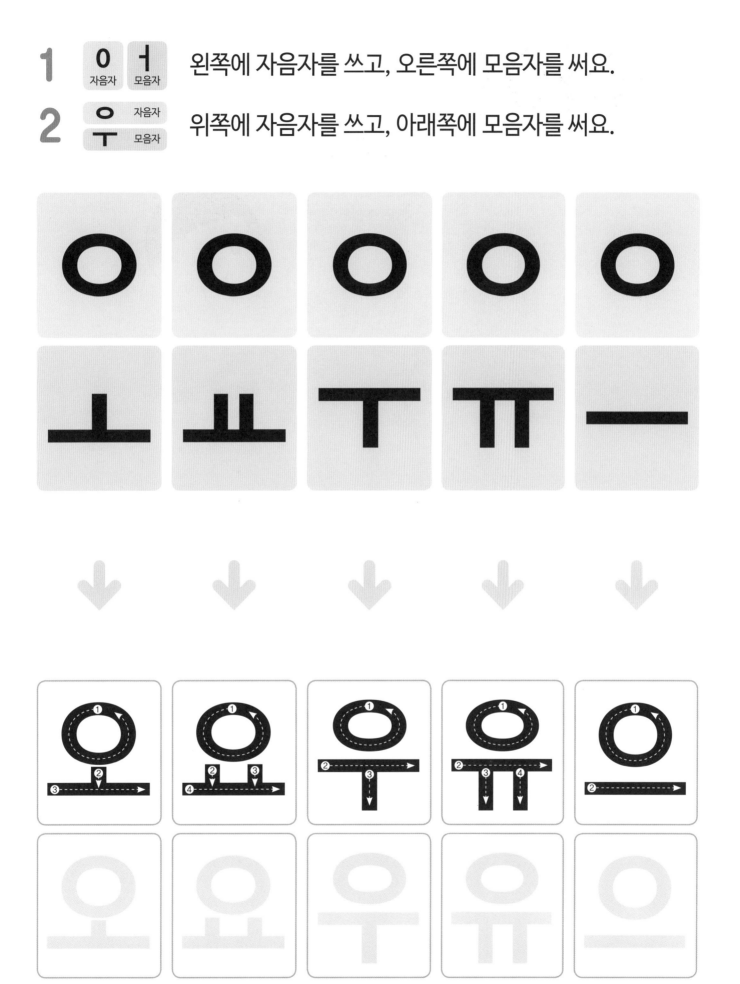

TIP 이렇게 지도하세요! 자녀가 '자음자 → 모음자'의 순서대로 쓰는지 지켜봐 주세요. 또, 'ㅇ'의 경우 'ㅇ' 자의 위에서 가운데부터 시계 반대 방향으로 원을 그리며 쓰게 해 주세요. 'ㅇ'이 들어간 글자처럼 쉬운 글자도 잘못 쓰는 습관이 들면 고치기 어려우니, 처음부터 바른 모양으로 쓰는 것이 중요합니다.

아이

아 ㅏ ㅇ ㅣ

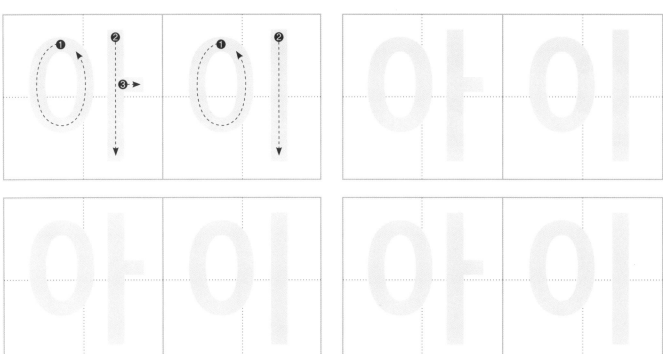

야구

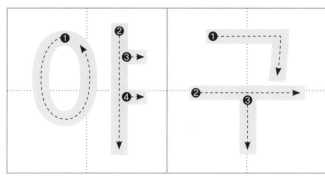

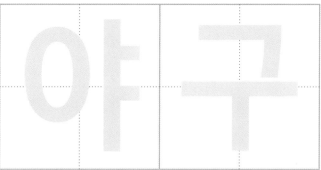

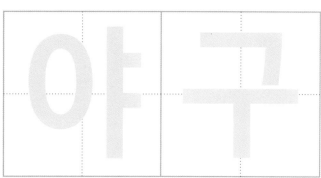

여우

우유

유리

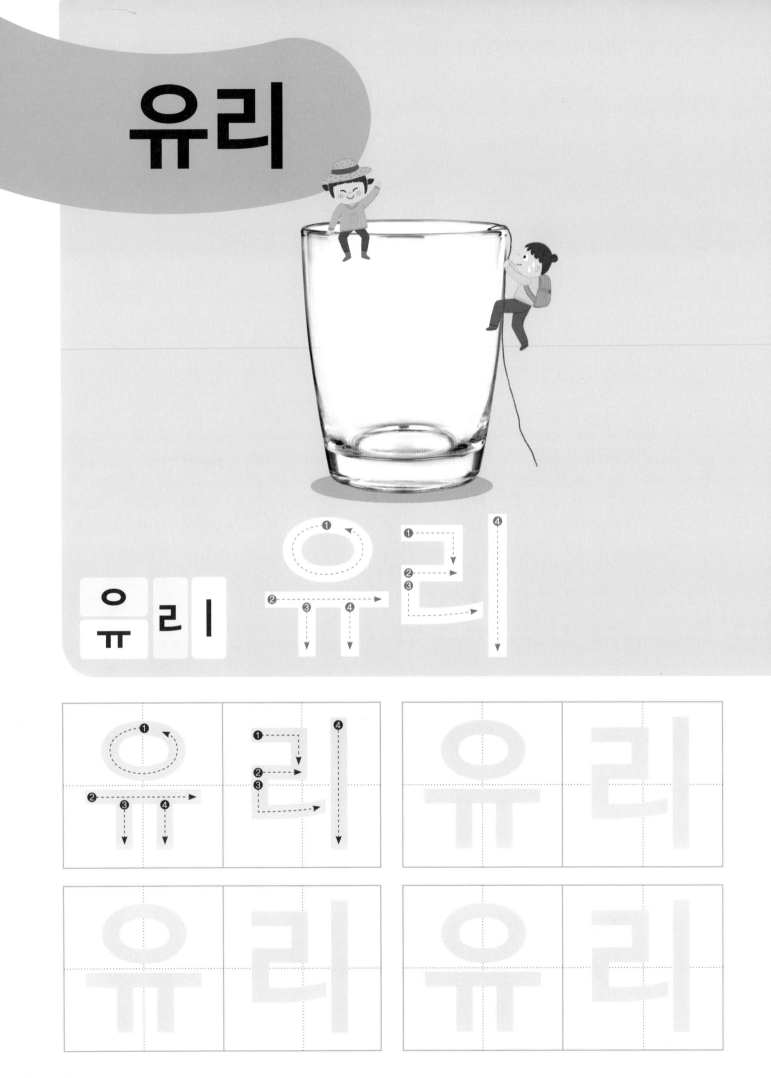

어머니

어머니

어머니

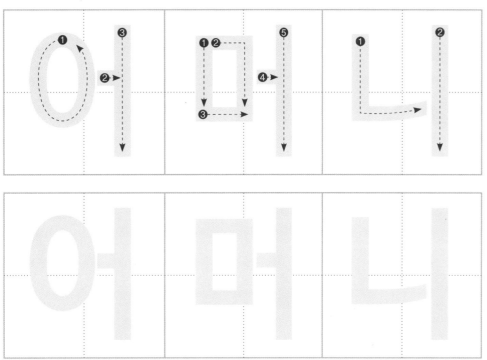

ス 들어간 글자 쓰기

1 ㅈ 자음자 ㅕ 모음자   왼쪽에 자음자를 쓰고, 오른쪽에 모음자를 써요.

2 ㅈㅠ 자음자 모음자   위쪽에 자음자를 쓰고, 아래쪽에 모음자를 써요.

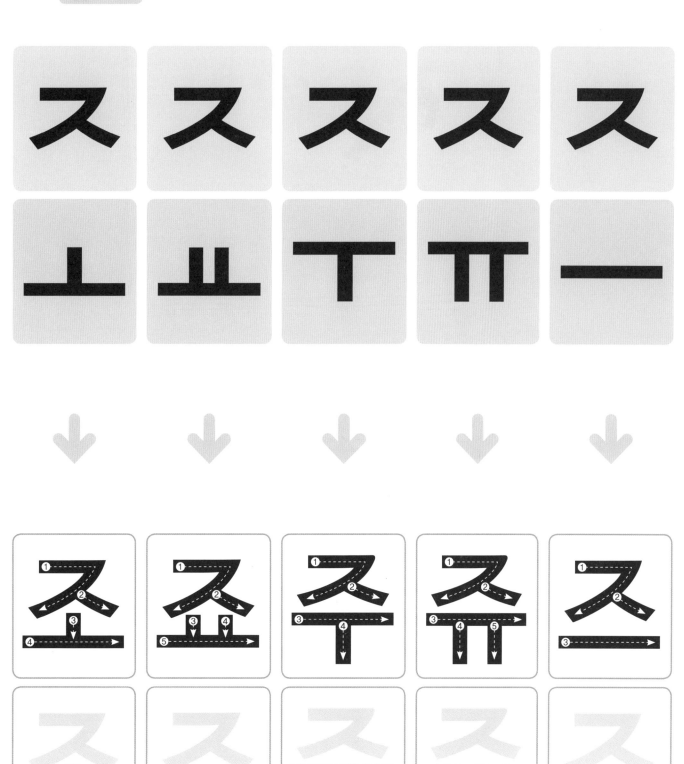

ㅈ ㅈ ㅈ ㅈ ㅈ

ㅗ ㅛ ㅜ ㅠ ㅡ

조 죠 주 쥬 즈

TIP 이렇게 지도하세요! 처음 한글 쓰기 방법을 익힐 때에는 'ㅈ'을 2획으로 쓰게 해 주세요. 'ㄱ'을 쓰듯이 한 획으로 먼저 쓴 다음, 그 오른쪽에 짧은 대각선을 붙여 써서 'ㅈ'을 완성하면 됩니다. 그리고 'ㅈ'이 들어간 글자를 쓸 때 'ㅈ'과 모음자 사이를 조금 띄어 쓰도록 해 주세요.

첫걸음 한글 쓰기 1단계   **83**

자

자

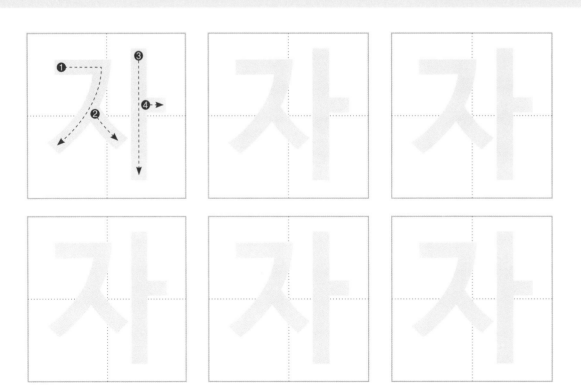

자루

자 루

지구

지구 지구

지구

지구

지구

아버지

아버지

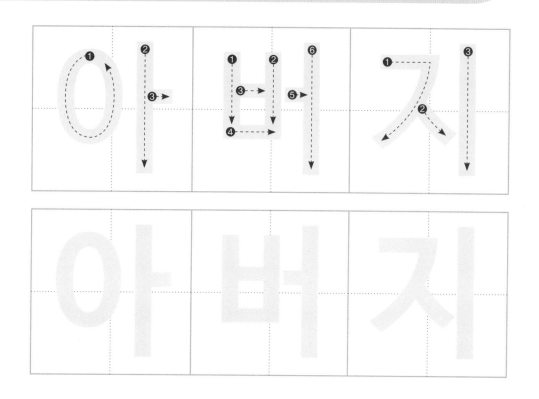

저고리

저고리

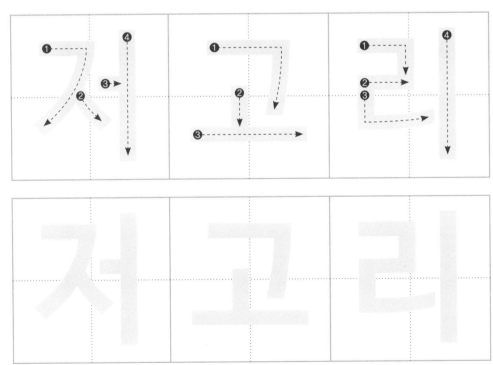

주머니

주머니

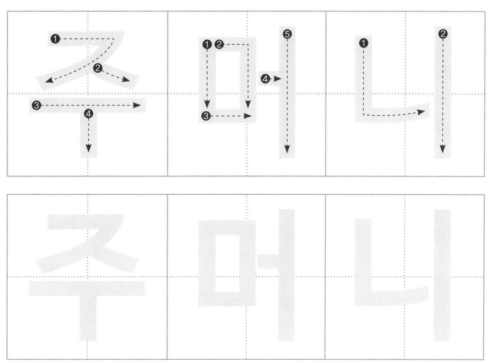

ㅊ 들어간 글자 쓰기

1 **ㅊ** 자음자 **ㅣ** 모음자   왼쪽에 자음자를 쓰고, 오른쪽에 모음자를 써요.

2 **ㅊ** 자음자 **ㅡ** 모음자   위쪽에 자음자를 쓰고, 아래쪽에 모음자를 써요.

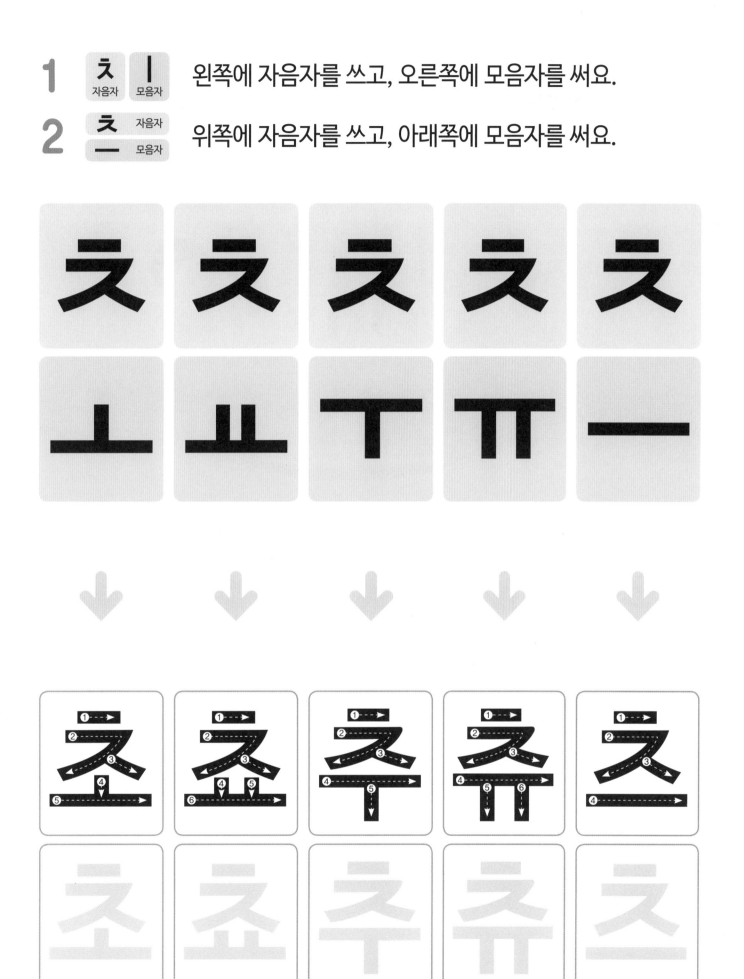

TIP 이렇게 지도하세요! 앞에서부터 계속 연습해 왔듯이 네모 칸에 한 글자를 쓰는 방법은 간단합니다. 'ㅊ' 오른쪽에 모음자를 쓰거나 'ㅊ' 아래쪽에 모음자를 쓰는 것이지요. 그런데 '차'와 '초'처럼 모음자에 따라 뜻이 다른 낱말이 되므로, 항상 글자의 정확한 모음자를 확인한 다음에 쓰도록 유도해 주세요

쵸

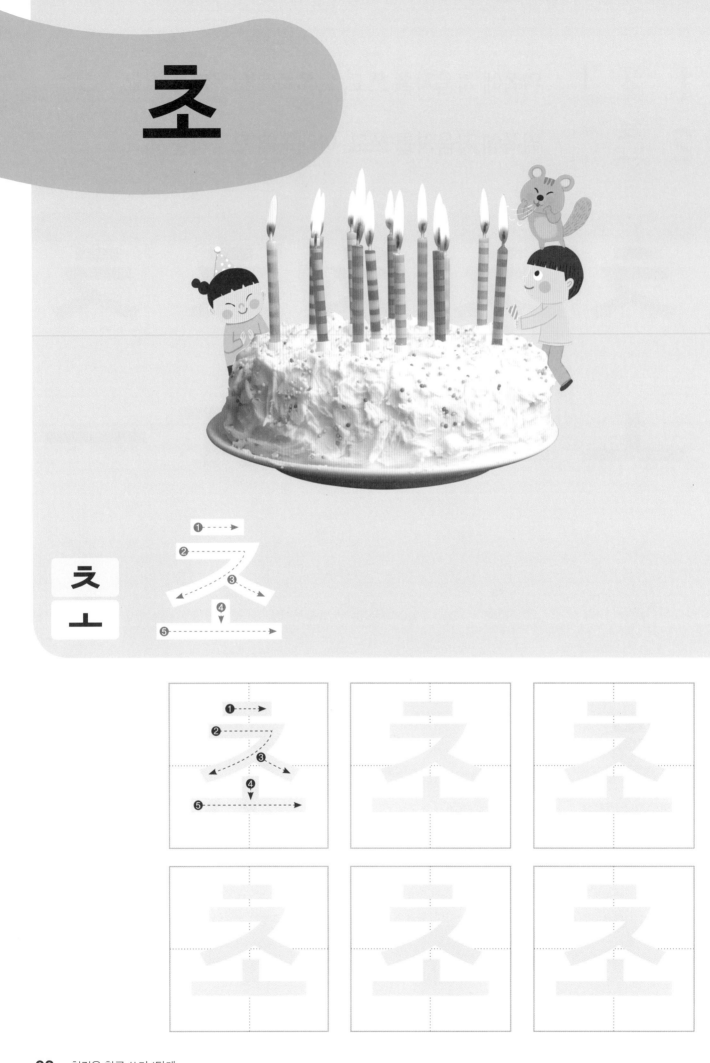

ㅊ
ㅗ

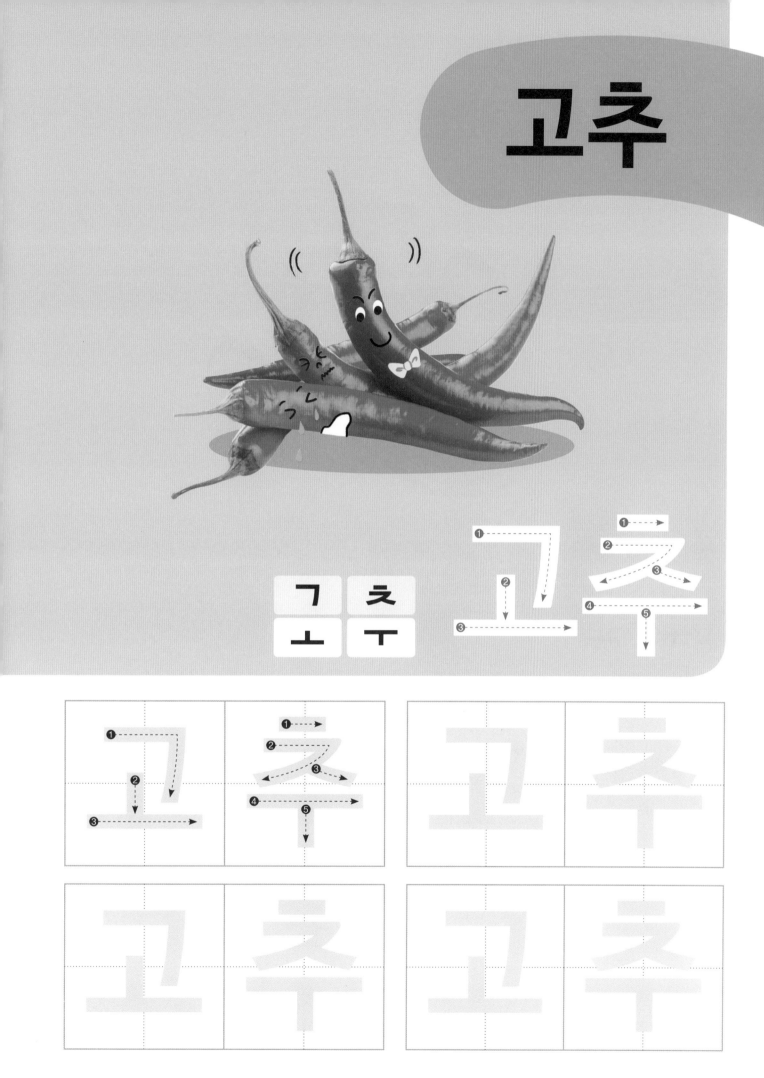

고추

ㄱ ㅊ
ㅗ ㅜ

부츠

ㅂ ㅊ
ㅜ ㅡ

치즈

치ㅡ즈

치즈

치즈

치즈

치즈

치즈

ㅋ 들어간 글자 쓰기

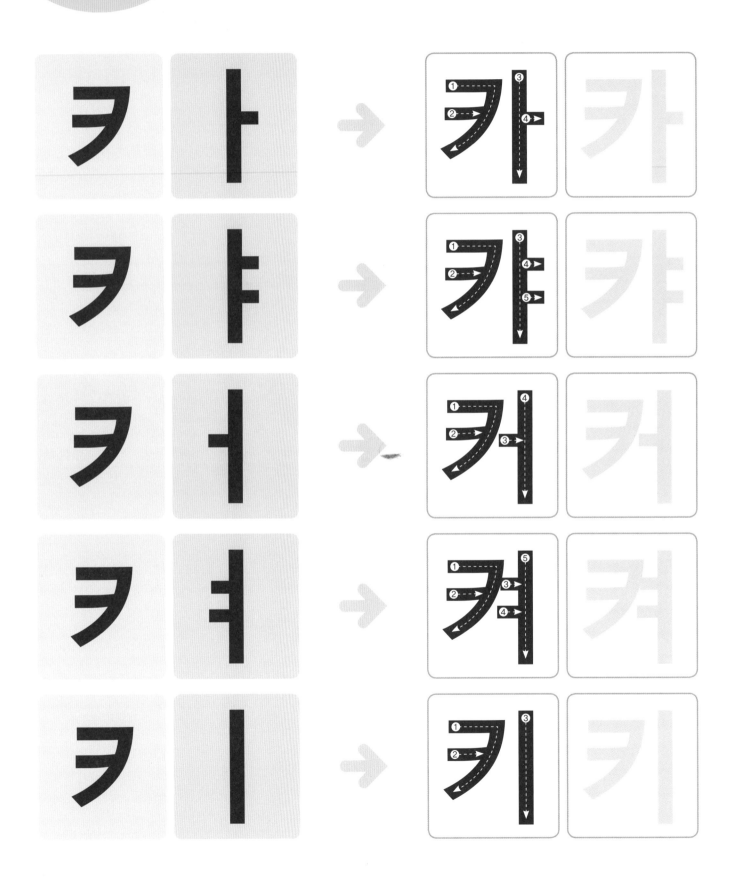

1 **ㅋ** 자음자 **ㅏ** 모음자 　왼쪽에 자음자를 쓰고, 오른쪽에 모음자를 써요.

2 **ㅋ** 자음자 **ㅗ** 모음자 　위쪽에 자음자를 쓰고, 아래쪽에 모음자를 써요.

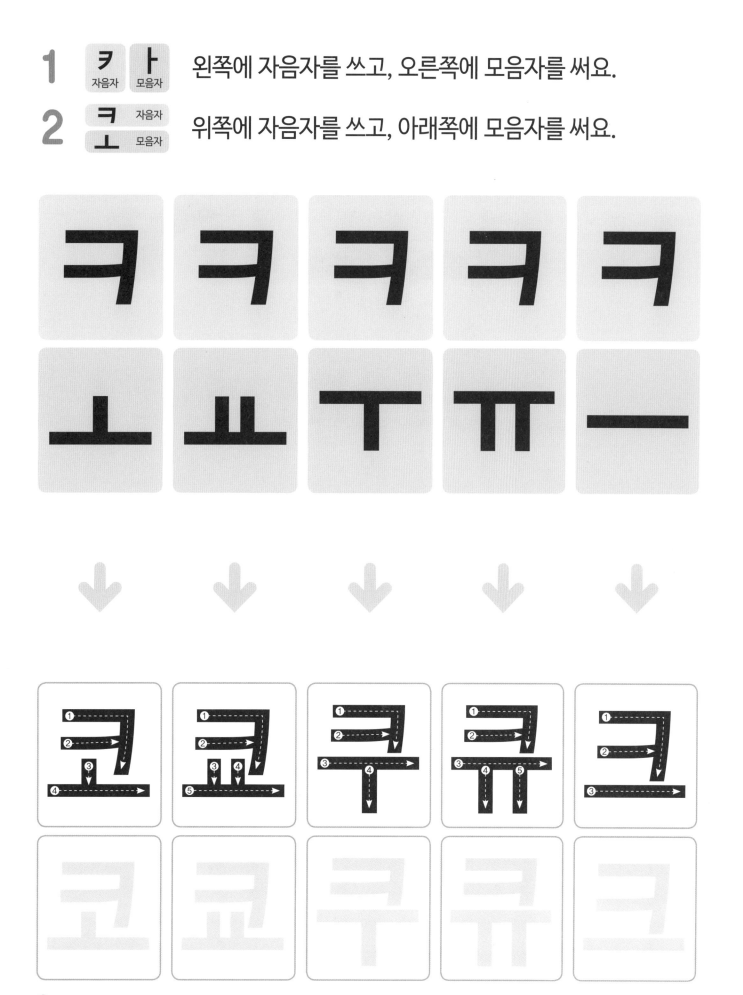

TIP 이렇게 지도하세요! 'ㄱ'을 먼저 쓰고, 가운데에 가로획을 하나 더해 'ㅋ'을 쓰면 됩니다. 또, 다른 자음자와 마찬가지로 'ㅋ'에 다른 모음자가 합쳐지면 서로 다른 글자가 됩니다. 이러한 글자의 짜임을 자녀가 자연스럽게 이해하고 받아들이도록 입으로 소리 내어 글자를 읽으면서 천천히 따라 쓰게 해 주세요.

키

ㅋ ㅣ

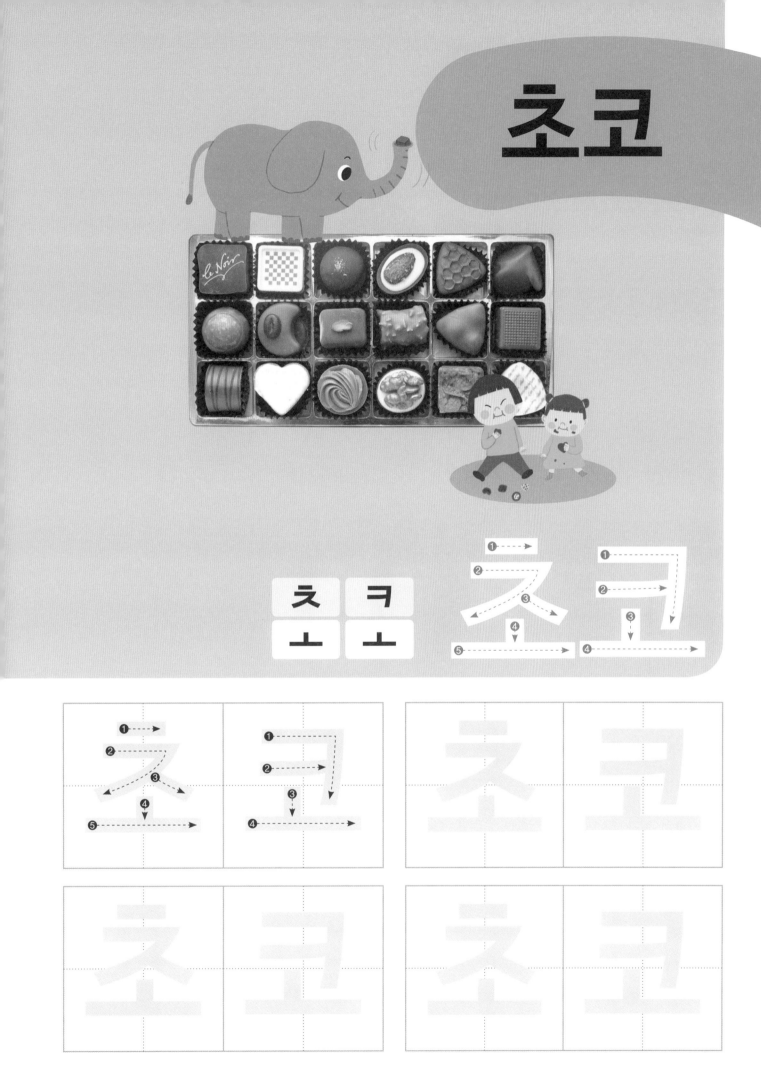

초코

카드

카드

쿠키

쿠 키

ㅌ 들어간 글자 쓰기

1 **ㅌ** 자음자 **ㅑ** 모음자   왼쪽에 자음자를 쓰고, 오른쪽에 모음자를 써요.

2 **ㅌ** 자음자 **ㅛ** 모음자   위쪽에 자음자를 쓰고, 아래쪽에 모음자를 써요.

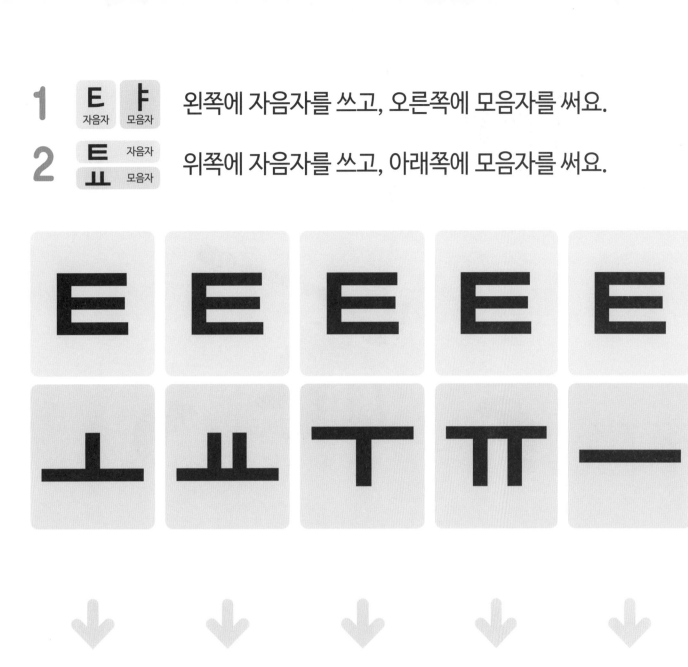

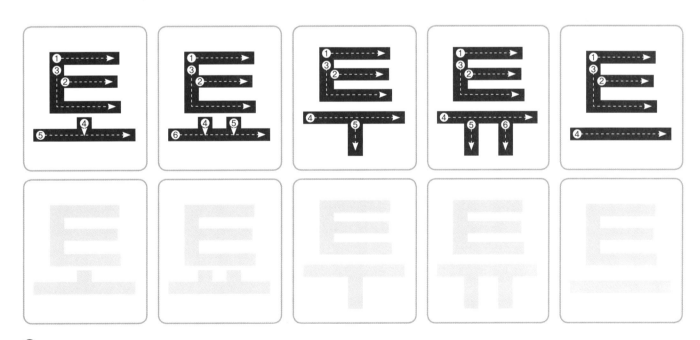

🔵 이렇게 지도하세요! 'ㅌ'은 잘못된 순서로 쓰기 쉬운 자음자입니다. 어른들도 ②와 ③의 순서를 바꾸어 쓰는 실수를 하고요. 도토리, 타조, 튜브와 같이 자녀에게 친숙한
'ㅌ'이 들어간 글자 쓰기 활동을 계속 함께 해 주시면서 반듯하고 예쁜 글씨를 쓰도록 지도해 주세요.

첫걸음 한글 쓰기 1단계   **103**

기타

기 타

튜브

E ㅌ ㅂ
ㅠ ㅡ

도토리

도 토 리

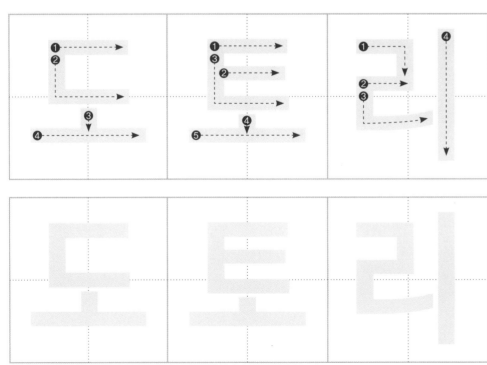

타이어

타이어

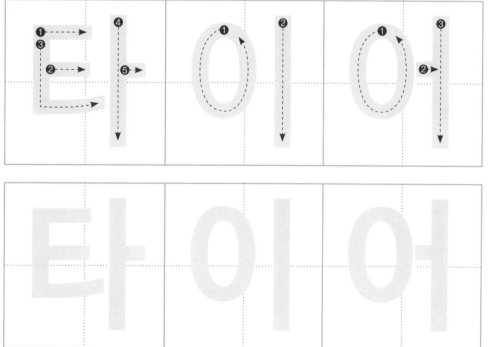

ㅍ 들어간 글자 쓰기

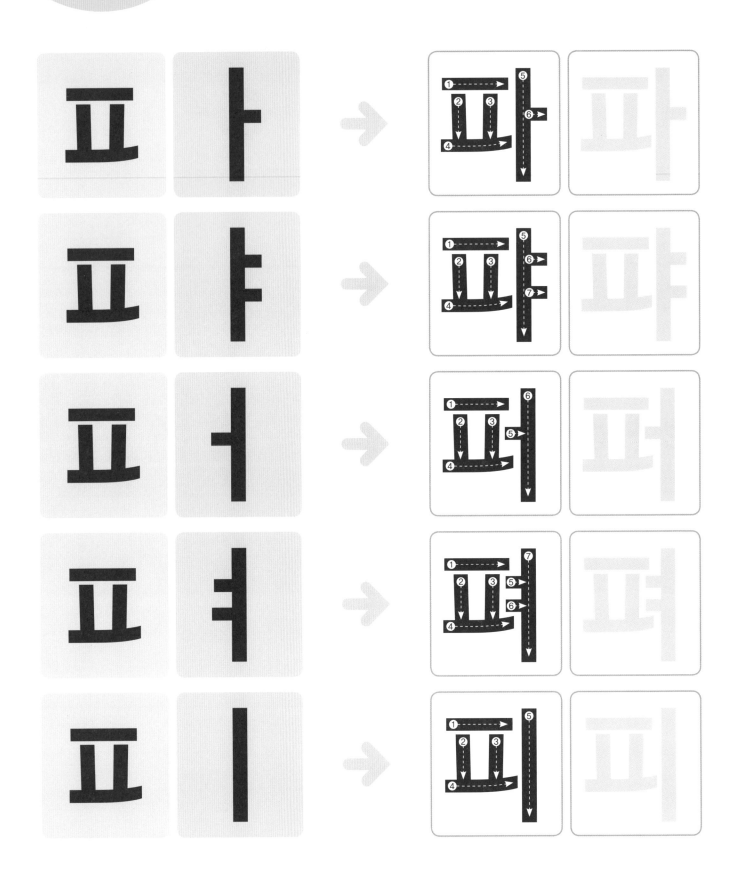

1 ㅍ자음자 ㅓ모음자 왼쪽에 자음자를 쓰고, 오른쪽에 모음자를 써요.

2 ㅍ 자음자 / ㅜ 모음자 위쪽에 자음자를 쓰고, 아래쪽에 모음자를 써요.

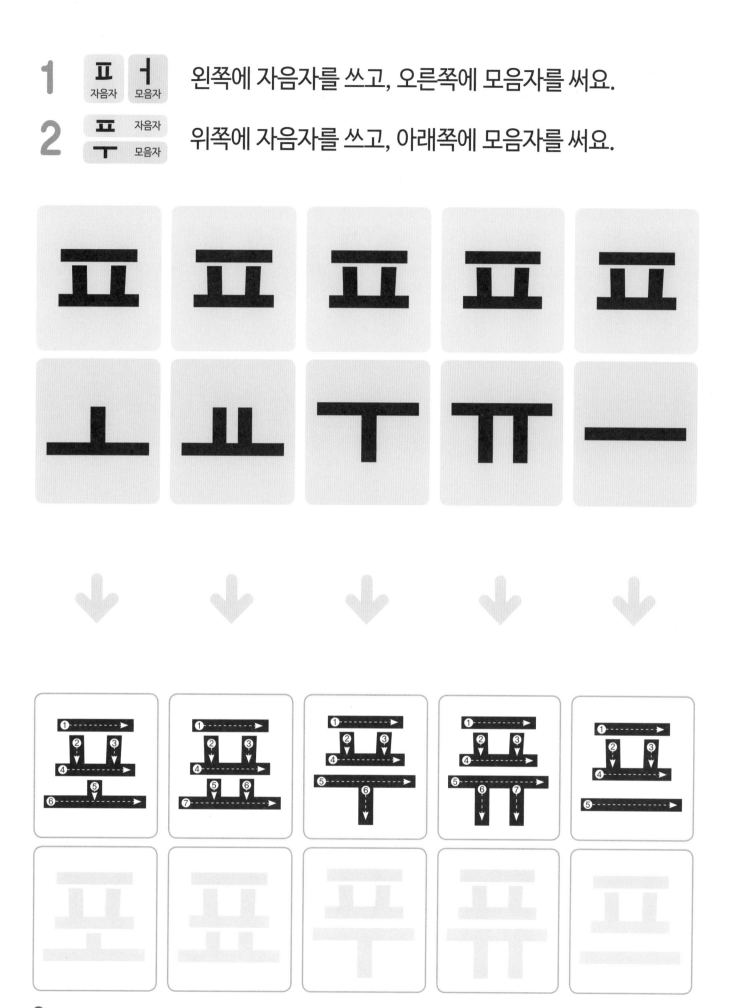

TIP **이렇게 지도하세요!** 받침 없는 글자의 구조를 이해하고, 순서를 지키며 'ㅍ'이 들어간 글자를 또박또박 쓰게 해 주세요. 이 중에서 '퍄', '펴', '퓨'는 우리말에서 잘 사용하지 않는 글자로, 자녀가 '퍄', '펴', '퓨' 쓰기를 어려워하면 무리해서 반복적으로 쓰게 하지는 마세요.

파

파

파이

파이

포크

피자

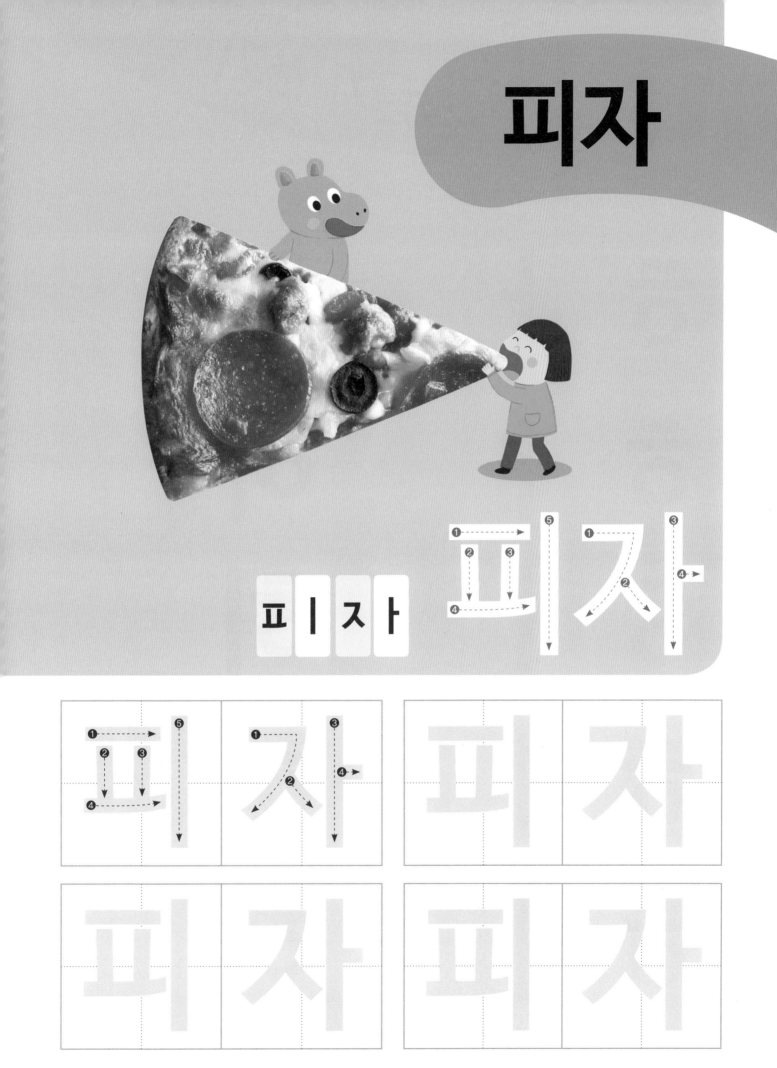

피 ㅣ 자 ㅏ

피자

ㅎ 들어간 글자 쓰기

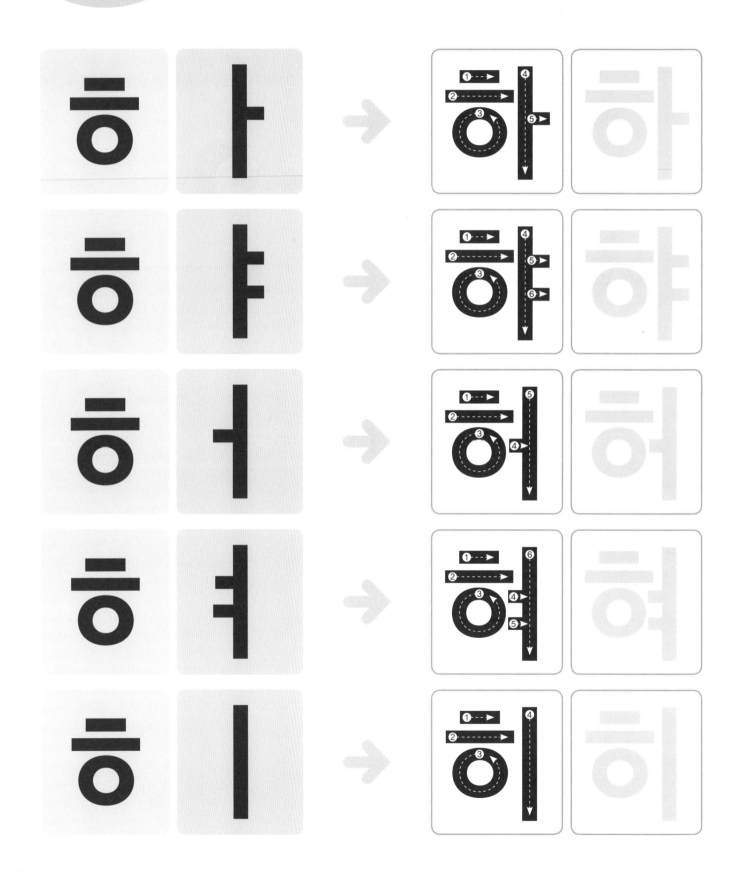

1 ㅎ ㅕ
자음자 모음자   왼쪽에 자음자를 쓰고, 오른쪽에 모음자를 써요.

2 ㅎ 자음자
ㅠ 모음자   위쪽에 자음자를 쓰고, 아래쪽에 모음자를 써요.

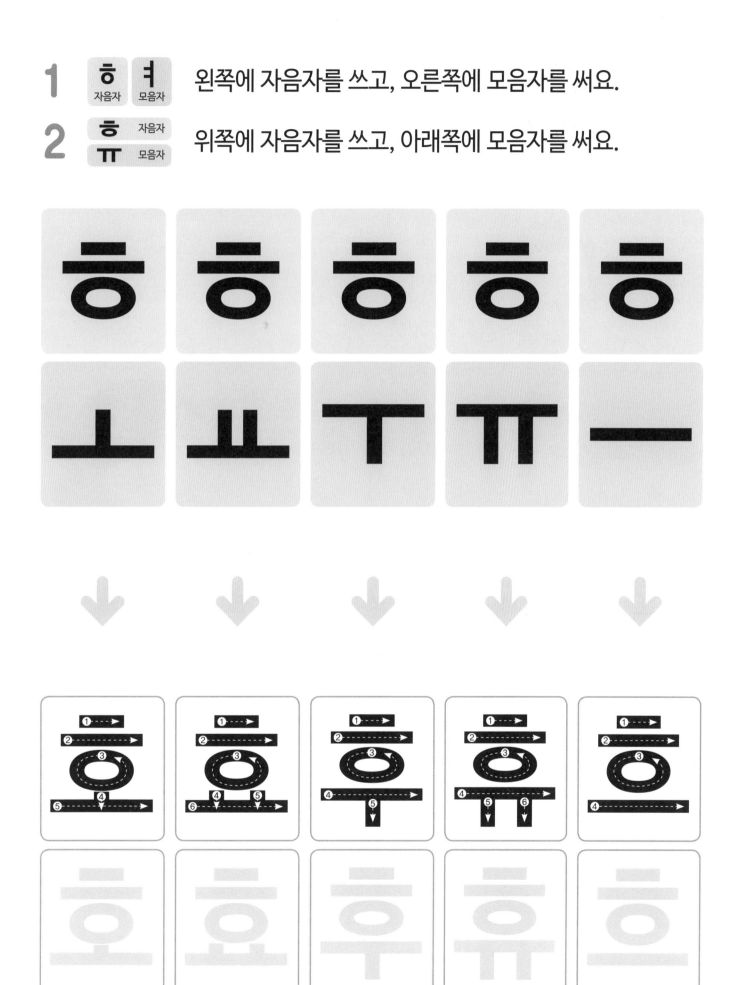

TIP 이렇게 지도하세요! 부모님께서 '휴지', '하마', '하트', '후추' 등과 같이 일상에서 자주 접하는 낱말을 써 주시고, 자녀가 그중에서 'ㅎ'이 들어간 글자를 찾게 해 주세요.
글자에 대한 흥미부터 많이 높인 다음에 글자를 소리 내어 읽고, 따라 쓰면 훨씬 더 한글을 정확하게 익힐 수 있어요.

첫걸음 한글 쓰기 1단계   **115**

후

하마

하마

하트

호두

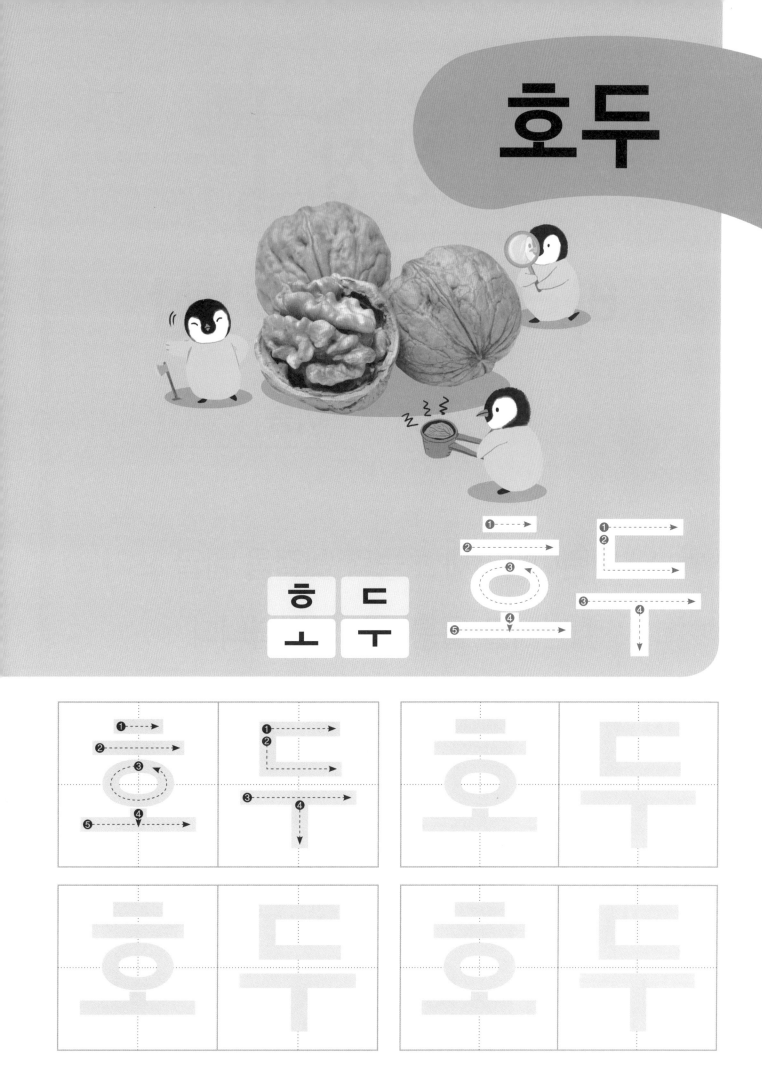

ㅎ	ㄷ
ㅗ	ㅜ

상장

바르게 한글 쓰기 상

이름

_____

위 어린이는 6세 초능력 첫걸음 한글 쓰기

1단계를 훌륭하게 마쳤습니다.

이에 칭찬하여 이 상장을 드립니다.

년 월 일